bibliolycée

D0363417

Gargantua
Pantagruel

Rabelais

Notes, questionnaires et synthèses
par Sébastien Crépin

Conseiller éditorial : Romain LANCREY-JAVAL

Texte conforme à l'édition de 1542

Sommaire

ISBN 978-2-01-168543-8

www.hachette-education.com
© Hachette Livre, 2002, 43 quai de Grenelle, 75905 Paris Cedex 15.
Tous droits de traduction, de reproduction et d'adaptation réservés pour tous pays.

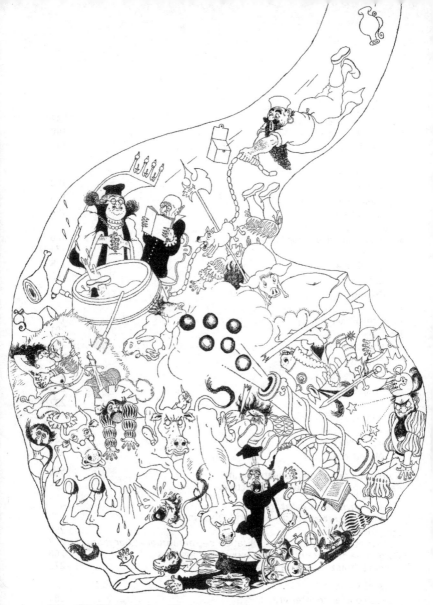

Le petit déjeuner dans l'estomac de Gargantua, vu par Dubout.

F ort du succès que connut auprès du public le *Pantagruel* édité en 1532, Rabelais décide d'écrire, trois années plus tard, le *Gargantua* narrant les aventures du père de Pantagruel.

N'oublions pas alors combien cette époque s'inscrit dans un contexte de transition ou, comme nous l'avons appelé, de « renaissance » : les modèles de savoir et de croyance institués au Moyen Âge font toujours autorité mais sont vivement remis en cause par quelques hommes de lettres et de science que l'on appelle les humanistes, dont Rabelais semble aujourd'hui une des plus illustres figures.

Pourtant, quels que soient l'âge et l'époque où nous la lisons, son œuvre ne cesse pas de surprendre. Apparemment contraire au bon goût, immorale, anticléricale, devrait-on pour autant, comme on le fit du temps de Rabelais, la censurer ? Ne doit-on pas plutôt se prêter au jeu et en rire ? En effet, le sort si singulier que Rabelais réserve au langage, justifiant à lui seul la nécessité de se reporter au texte original, et le grotesque de ses personnages tournent en dérision toute forme d'autorité. Aucune ne résiste à ses coups de plume qui se chargent de

Le Combat de Carême et de Carnaval (détail) de Pieter Brueghel.

démasquer un à un les imposteurs et leurs beaux discours, de ridiculiser les donneurs d'exemple et de leçon.

Sous leurs allures de récits légendaires et fantaisistes, il s'agit de mesurer la portée critique de ces deux récits. Ces aventures de géants s'adressent à tous comme un effet de miroir, suffisamment grossissant d'ailleurs pour que chacun puisse, en faisant l'effort de s'y reconnaître, rire de lui-même. Et puisque le rire est bien « *le propre de l'homme* », quel meilleur moyen de se connaître que de rire de soi, que de présenter chacun sous l'angle le moins favorable, de révéler au grand jour cette distance qui l'éloigne de ce qu'il devrait être et de ce qu'on attend de lui, que de nommer ses faiblesses décidément bien trop humaines !

Ainsi, Rabelais ne peut se réduire à un auteur de farces, un comique de foire. La férocité de ses critiques ne va pas en plus sans un hymne à la vie et aux plaisirs que celle-ci réserve à qui saura faire preuve d'une authentique et humaine sagesse.

Par son espoir de réconcilier l'homme avec lui-même, Rabelais donne aussi aux lecteurs l'occasion de se réconcilier avec le plaisir de lire et d'écrire. Les notes, questionnaires et dossiers contenus dans ce volume valent comme autant d'indications, de guides de lecture pouvant accompagner et parfois même rendre possible ce plaisir, tant pour éclairer les références nécessaires à la compréhension du texte que pour goûter la singularité de son style qui n'aura jamais fini d'étonner les écrivains les plus novateurs.

Rabelais, écrivain humaniste de la Renaissance

Rabelais, homme de foi, de sciences et de lettres

Rabelais, gravure sur bois de Jonnard.

À lire la biographie de Rabelais, il semblerait, aux lecteurs que nous sommes aujourd'hui, que ce dernier ait dû mener plusieurs vies : tout d'abord, une vie de voyages aux quatre coins de la France et en Italie ; ensuite, durant près d'une dizaine d'années, une vie de moine et, jusqu'à ses derniers jours, de prêtre séculier. Ajoutons à cela une vie de médecin, de savant et de professeur. Enfin, bien sûr, sur les trente dernières années de son existence, Rabelais se consacre à son œuvre d'écrivain. Ainsi, aux institutions religieuses qui souhaitent lui interdire l'exercice de la médecine ; aux catholiques aussi bien qu'aux protestants qui jugent son œuvre contraire à la foi ; aux institutions politiques qui le soupçonnent d'impiété, voire d'hérésie ; aux savants illustres, aux littérateurs, aux théologiens de la grande faculté de Paris et, parfois, aux humanistes eux-mêmes, qui reprochent à ses écrits de verser dans l'obscénité et la vulgarité, et de ne s'adresser qu'à un public populaire et inculte ; aux incroyants qui s'étonnent, à l'inverse, qu'un tel écrivain puisse conjuguer l'art de la provocation et la fonction de curé ; à tout ce beau monde considérant que l'art, la religion et la science sont incompatibles, Rabelais semble proposer un autre rapport à la foi, plus sincère et plus fidèle aux textes bibliques que ne le prétend une Église servant davantage ses propres intérêts que ceux des hommes ; une autre façon de connaître, plus soucieuse de prendre conscience et soin d'autrui ; enfin, une autre façon d'écrire qui, pour ne plus tricher et ne plus tromper ses lecteurs avec de beaux discours, fait jouer le langage et rire ces derniers.

Les années d'apprentissage : la vie de moine

Bien que la date de naissance de François Rabelais reste incertaine, 1483 ou 1494, nous savons en revanche qu'il est né en Touraine (région où se déroulera, d'ailleurs, une partie de l'action de *Gargantua*) près de Chinon, dans le petit hameau de la Devinière. Son père étant avocat, il entame très tôt des études de droit jusqu'en 1510, date à laquelle il entre comme novice dans l'ordre franciscain (du nom même de son créateur saint François d'Assise) au couvent de la Baumette, près d'Angers.

Frère Jean, vu par Gustave Doré.

Rabelais consacre les années suivantes à sa vocation religieuse si bien qu'en 1520 il est ordonné prêtre au couvent de Fontenay-le-Comte. Étant donné sa formation religieuse, il possède déjà une solide connaissance de la théologie médiévale. Néanmoins, grâce à la maîtrise qu'il acquiert de la langue grecque, il se découvre une passion pour les textes datant de l'Antiquité, qu'il entreprend, aussitôt de traduire. À ce titre, il commence une correspondance avec Guillaume Budé, savant humaniste renommé qui jouera un rôle fondateur dans la création, en 1530, du Collège des lecteurs royaux qui, plus tard, deviendra le Collège de France.

Toutefois, jugeant d'un mauvais œil cet intérêt croissant pour l'étude des textes antiques susceptible, selon eux, de faire obstacle à la foi, les Franciscains décident en 1523 de lui confisquer ses livres. Cette raison suffit à convaincre Rabelais, l'année suivante, de prendre congé d'eux. Cependant, refusant de sacrifier sa passion pour les lettres au nom de sa foi, il rejoint, grâce à la

À retenir

Rabelais naît en 1483 ou 1494, quelques années avant le début du règne de François Ier. Très tôt, il suit la formation d'un moine.

bienveillance de Geoffroy d'Estignac, évêque de Maille-zais, les Bénédictins, ordre créé par saint Benoît, plus favorables alors à la fréquentation et à l'étude des auteurs de l'Antiquité.

Rabelais médecin

Quatre années passent avant que Rabelais ne renonce finalement à une vie de moine qui lui semblait pourtant toute tracée. Pourquoi un tel revirement ? Était-ce pour satisfaire son appétit de connaissance ? Pourtant, loin de perdre la foi, Rabelais devient en 1528 prêtre séculier. Cette nouvelle fonction lui permet de gagner probable-ment la ville de Paris pour y commencer des études en médecine. Un tel changement de vocation n'est d'ailleurs pas sans alarmer l'Église qui interdit à un religieux d'exer-cer une telle discipline.

En 1532, Rabelais traduit et publie quelques ouvrages savants écrits par les médecins de l'Antiquité. Ayant été reçu bachelier deux ans plus tôt, il commence à donner des cours à la faculté de Montpellier sur la médecine antique.

La même année, Rabelais décide de s'installer à Lyon comme médecin. Il entre en correspondance avec Érasme, auteur humaniste rendu célèbre par son *Éloge de la folie*, ouvrage dans lequel il n'hésite pas, au nom d'un retour aux Écritures saintes, à condamner les absurdités de l'Église.

Progressivement, Rabelais est amené à fréquenter les milieux humanistes : il y fait notamment la rencontre d'Étienne Dolet qui, en 1546, sera pendu puis brûlé en public pour son impiété.

À retenir

Rabelais quitte l'habit de moine pour entamer des études de médecine.

Rabelais écrivain

Toujours en 1532, il publie le *Pantagruel* sous le pseudonyme d'Alcofribas Nasier, anagramme* de François Rabelais, au risque de perdre alors une situation bien établie. En effet, Rabelais, approchant des quarante ou cinquante ans, est à la fois un médecin illustre, un savant reconnu de sorte que son sérieux ne laisse aucun doute. Or, à sa grande déception, le *Pantagruel* ne rencontre auprès du public savant, y compris même celui des humanistes, qu'indifférence et incompréhension. L'accueil favorable qui lui est fait en revanche par le public populaire est tel qu'il permet à Rabelais, trois ans plus tard, de publier le *Gargantua*.

Entre-temps, l'intérêt qu'il porte à la médecine ne faiblit pas : il devient le médecin officiel du conseiller du roi François Ier, Jean du Bellay, qui est aussi évêque de Paris et ambassadeur de France au Vatican. C'est en sa compagnie que Rabelais séjourne à plusieurs reprises à Rome. Son métier d'écrivain lui rapportant plus d'adversaires que d'argent, Rabelais, conscient du risque que la publication de ses œuvres encourt, reste sur ses gardes : il n'hésite pas à s'entourer de puissants protecteurs.

À retenir

Pantagruel et *Gargantua* sont respectivement publiés en 1532 et 1535.

Rabelais face à la censure

En 1535, à la suite de « l'affaire des Placards » (*cf.* p. 17) qui donne aux autorités ecclésiastiques et au roi lui-même l'occasion de condamner ceux dont les idées religieuses sont nouvelles et, par là, suspectes, Rabelais est contraint de s'enfuir à Rome sous la protection de Jean du Bellay, alors devenu cardinal. L'année suivante, le pape Paul III

* *Cf.* Lexique.

en personne lui accorde le droit d'exercer la médecine et l'absout du crime d'apostasie (qui consiste à renoncer à la fonction de moine pour en occuper une autre) dont il avait été officiellement accusé en France.

Rabelais est nommé, en 1537, docteur en médecine : au cours des leçons qu'il consacre à l'anatomie du corps humain, il pratique des dissections alors interdites par l'Église. Les années suivantes, il participe de plus en plus activement aux débats politiques qui agitent l'époque : en 1538, il assiste même à l'entrevue d'Aigues-Mortes entre Charles Quint et le roi de France. Durant ces années, il continue à enseigner la médecine à Montpellier et à Lyon. Il reçoit le soutien et la protection du gouverneur Guillaume de Langey, frère de Jean du Bellay, avec qui il voyage dans le Piémont en Italie.

Mais en 1543, la Sorbonne, faculté de théologie de Paris, condamne publiquement le *Pantagruel* et le *Gargantua*. Le Parlement qui, rappelons-le, peut condamner à mort ceux qu'il juge nuisibles à l'ordre ecclésiastique, s'empresse de confirmer cette condamnation par une mesure de censure. Du reste, il est reproché à Rabelais de divulguer des idées religieuses nouvelles telles que l'évangélisme (soutenu, en outre, par les humanistes, l'évangélisme prône une réforme de l'Église sans pour autant contester, à la différence des protestants, l'autorité du Pape).

Malgré les menaces qui pèsent sur lui, Rabelais poursuit sans relâche son œuvre d'écrivain et de médecin. En 1546, il publie le *Tiers Livre* qui, à son tour, sera censuré par la Sorbonne. Grâce une nouvelle fois à la fidèle protection de Jean du Bellay, Rabelais peut s'enfuir à Metz où il est aussitôt nommé médecin.

À retenir

La censure
Jugeant qu'une œuvre peut être contraire aux intérêts de l'Église, la faculté de théologie de la Sorbonne communique alors sa censure au Parlement, lequel en informe le roi qui se réserve le droit d'accorder ou non à cette œuvre un privilège royal.

De 1547 à 1550, Rabelais séjourne à Rome en qualité de médecin officiel du cardinal. En 1550, il se voit accusé d'impiété par Calvin : ni les autorités catholiques ni celles des protestants ne lui témoigneront décidément la moindre bienveillance ! Pourtant, Rabelais ne renonce ni à sa foi ni à l'écriture : en 1551, grâce au cardinal, il occupe la fonction de curé près du Mans. L'année suivante, après avoir obtenu du roi Henri II un privilège pour son œuvre, il est autorisé à publier le *Quart Livre*. Cet ouvrage ne manquera pas, une fois encore, de s'attirer les foudres de la Sorbonne. Rabelais meurt à Paris en 1553, n'ayant pas eu le temps de publier intégralement le *Cinquième Livre* qui fera l'objet, en 1564, d'une édition posthume.

La Devinière où, probablement, François Rabelais vit le jour. Gravure du XVIIe siècle.

La France sous François Ier : entre renouveau et tradition

La vie de François Rabelais s'inscrit dans la période que l'on baptisera plus tard « la Renaissance » pour marquer une rupture entre celle-ci et le Moyen Âge. Culturelle, religieuse et politique, cette rupture prend place en France dans la première moitié du XVIe siècle, pendant le règne de François Ier.

À retenir

François Ier devient roi de France en 1515. Les dates de son règne correspondent approximativement à la période de la Renaissance et recouvrent la majeure partie de la vie de Rabelais.

François Ier, mécène des humanistes

Lorsque François Ier accède au trône en 1515, l'armée qu'il commande paraît tant affaiblie par l'échec des campagnes en Italie qu'elle est incapable de repousser les diverses invasions de ses voisins. Aussi, lorsqu'il remporte la célèbre bataille de Marignan contre les Suisses en 1515, le triomphe de François Ier fait-il grand bruit en France et dans toute l'Europe. Le jeune roi acquiert aussitôt la réputation d'être un excellent homme d'armes et un redoutable stratège militaire.

Toutefois, François Ier sait avant tout se faire apprécier pour son savoir-vivre, son élégance, sa culture et son éloquence. Il n'hésite pas à dépenser des fortunes pour les soins de sa cour composée, entre autres, d'artistes, tels que Léonard de Vinci, et de savants. L'intérêt qu'il témoigne en faveur des arts et des lettres, notamment l'architecture italienne, se remarque à la façon dont sont bâtis et ornés les nombreux châteaux qu'il fait construire, celui de Chambord étant le plus emblématique. Lui-même se fait poète à ses heures.

Auteur d'une véritable politique culturelle, le roi, conscient de la nécessité d'une «renaissance» de la culture, se range très tôt du côté de ceux qui en sont à l'origine, à savoir les humanistes. En effet, la Renaissance signifie en premier lieu la restitution des textes antiques, grecs ou latins, sous l'impulsion de certains savants et hommes de lettres appelés humanistes (le terme *humanitas* en latin signifie «culture»). Or, si renaissance il doit y avoir, c'est bien parce que le Moyen Âge reste selon eux une période d'obscurité. La scolastique – c'est-à-dire l'enseignement philosophique pratiqué dans les écoles ecclésiastiques et les universités d'Europe à partir du Xe siècle et dont, au XVIe siècle, la faculté de théologie de la Sorbonne se fait l'héritière – est à leurs yeux responsable d'avoir réduit le savoir à une vaine érudition, une méthode d'argumentation dont la subtilité vise davantage à persuader qu'à dire le vrai, et d'avoir étouffé la foi sous les innombrables commentaires des textes sacrés.

Or, c'est pour permettre une telle renaissance que le roi François Ier crée, contre l'avis de la Sorbonne et à la demande de Guillaume Budé (1467-1540), l'Académie des lecteurs royaux en 1530, symbole du renouveau humaniste : on y étudie le grec, le latin et l'hébreu. La gratuité de l'enseignement en fait un lieu de savoir accessible à tous. Ce retour aux lettres latines et grecques n'empêche d'ailleurs pas la langue française, auparavant considérée comme une langue vulgaire, de gagner progressivement ses lettres de noblesse. Grâce à l'ordonnance de Villers-Cotterêts en 1539, elle remplace même le latin au statut de langue administrative.

À retenir

Jusque dans les années 1530, François Ier soutient les humanistes en favorisant une renaissance de la culture.

Le début des années 1530 semble alors sonner l'heure de gloire des humanistes. La plupart des imprimeurs et des éditeurs favorisent la diffusion de leurs œuvres en dépit de la censure dont la Sorbonne et le Parlement les menacent. Malgré cela, François Ier n'hésite pas à protéger les hommes de lettres et de science. À plusieurs reprises d'ailleurs, il prendra, contre les autorités religieuses et théologiques, la défense de Rabelais qu'il considère comme un de ses auteurs favoris.

Une Europe en guerre

Lorsque le roi d'Espagne Charles Quint est élu à la tête de l'Empire germanique en 1519, François Ier ne peut que s'inquiéter de la menace d'encerclement qui pèse sur la France. Aussi, face à la puissance impériale de Charles Quint qui possède, en plus de l'Espagne et de l'Allemagne, une grande partie de l'Italie, François Ier va-t-il s'efforcer par tous les moyens de lui résister. Mais en 1525, le roi d'Angleterre ayant refusé de se rallier à lui, la défaite des troupes françaises à Pavie en Italie oblige le roi à se rendre. Il est fait prisonnier à Madrid, contraint de signer avec l'empereur un traité de paix qu'il s'empressera, dès sa libération, de ne pas respecter ! En 1531, au scandale des autorités catholiques, il s'allie même avec les princes protestants qui, en Allemagne, s'opposaient à la politique de l'empereur. En 1535, il n'hésitera pas à s'allier avec les Turcs, alors ennemis jurés du très catholique Charles Quint. Jusqu'en 1544, date du traité de paix de Crépy-en-Lannois, le roi de France et l'empereur se livreront bataille, cédant puis reprenant tour à tour certains territoires.

Ainsi, le règne de François Ier est marqué, du début à la fin, par les guerres incessantes qui l'opposent à Charles Quint. Sous forme de parodie, les œuvres de Rabelais retranscrivent ce climat de guerre : nul doute qu'à ses yeux François Ier, défenseur des humanistes, n'incarne l'exemple du bon roi. Nul doute, à l'inverse, que Charles Quint ne soit visé sous les figures de Loup Garou et Picrochole, tyrans incultes, aveuglés par une soif insatiable de pouvoir. Dès le début du XVIe siècle, les humanistes, ne se contentant pas de dénoncer les méfaits de la guerre, visent au cœur de celle-ci : prenant racine dans l'ignorance et la superstition, son seul remède résidera en l'élaboration d'un nouvel enseignement, à la fois porteur de savoir et de sagesse.

L'Église face à ses réformateurs

Face au développement de la Réforme protestante inaugurée en 1517 par Martin Luther qui accuse l'Église de ne plus respecter le message des Évangiles, les autorités catholiques vont tenter d'étouffer tout ce qui est susceptible de menacer leur pouvoir. À cet égard, « l'affaire des Placards » qui survient en 1534 marque un tournant : en effet, dans plusieurs villes de France, des affiches protestantes s'en prennent ouvertement à l'Église.

Jusqu'alors, sous l'influence de sa sœur Marguerite de Navarre réputée pour sa connaissance et sa curiosité, proche des humanistes, savants aussi bien que poètes, des évangélistes et même des protestants tels que Calvin, et à qui, enfin, Rabelais dédia pour ces raisons le *Tiers Livre*, François Ier avait adopté une politique de tolérance religieuse. Mais, à la suite de cette « affaire des Placards »

À retenir

Loin d'être insensibles aux problèmes que pose le conflit entre le roi et l'empereur, certains humanistes, dont Rabelais, dénonceront ces guerres à répétition.

et sous la pression des autorités catholiques, il multiplie les arrestations et condamne parfois au bûcher ceux, évangélistes aussi bien que protestants, dont les idées encouragent une réforme de l'Église.

Or, la plupart des humanistes, y compris Rabelais, sont proches de l'évangélisme qui est né du souhait d'Érasme et du théologien Lefèvre d'Étaples, traducteur en 1508 de la Bible en français, de revenir aux textes sacrés, à une foi plus intériorisée. Toutefois, cette volonté de réforme se distingue de celle de Luther : certes, les humanistes dénoncent des pratiques religieuses devenues trop abstraites mais, à la différence des protestants, ils ne remettent en cause ni l'autorité du Pape ni la liberté de l'homme qui reste, pour eux, une exigence de premier ordre. Malgré ces divergences fondamentales, le Parlement comme les autorités catholiques persécuteront les humanistes au même titre que les protestants.

Un tel climat a bien sûr des répercussions sur la politique culturelle menée par le roi : l'imprimerie est menacée d'interdiction ; aucun livre n'est désormais imprimé sans l'accord des autorités. Profitant de cette politique de répression, la censure exercée par la Sorbonne et le Parlement s'officialise et gagne en efficacité, si bien que certains penseurs et écrivains tels que Calvin, Marot ou même Rabelais sont obligés de s'exiler à l'étranger. Le début du règne de Henri II en 1547, après la mort de François Ier, accentue tellement ce climat de répression que le mouvement humaniste semble condamné à s'éteindre progressivement.

En définitive, l'humanisme sera passé au XVIe siècle par deux moments antagonistes : le premier est celui de l'enthousiasme, du renouveau tel que l'exprime la lettre de

À retenir

La Réforme naît au XVIe siècle sous l'impulsion de Luther et, en France, de Calvin. Au nom d'un retour aux textes sacrés, elle conteste l'autorité des institutions religieuses qui, dès la fin des années 1530, persécuteront avec l'appui du roi les protestants et tous ceux qui leur ressemblent, y compris les évangélistes dont font partie la plupart des humanistes.

Gargantua à son fils; le second est celui de l'oppression et des persécutions que Rabelais, dans le *Pantagruel* et le *Gargantua*, semble déjà pressentir.

Entrevue du Drap d'or, tableau du XVIe siècle attribué à Vincent Volpe. En 1520, François Ier fit dresser en Flandre dans un faste éblouissant le camp du Drap d'or pour persuader le roi d'Angleterre de s'allier avec lui contre Charles Quint. L'opération se révéla d'autant plus coûteuse que le roi d'Angleterre refusa cette alliance.

Rabelais en son temps

	Vie et œuvre de Rabelais	Événements historiques et culturels
1483	Naissance de François Rabelais (ou 1494 ?).	
1494		Naissance de François Ier. Début des guerres en Italie.
1508		Lefèvre d'Étaples traduit la Bible en français.
1511	Novice au couvent franciscain de la Baumette.	Érasme publie *Éloge de la folie*.
1515		François Ier devient roi de France. Victoire de Marignan. Léonard de Vinci est reçu à la cour de François Ier.
1516		Publication de *L'Utopie* de Thomas More.
1517		Le moine Luther rend publiques ses thèses contre l'Église : naissance de la Réforme protestante. Érasme publie *Plainte de la paix*.
1519		Premier tour du monde par Magellan. Charles Quint élu empereur.
1520	Prêtre à Fontenay-le-Comte. Correspondance avec Budé.	Entrevue du camp du Drap d'or : l'Angleterre refuse de s'allier avec la France.
1523	Les Franciscains lui confisquent ses livres grecs.	La Sorbonne condamne l'étude du grec. Le Parlement brûle les œuvres de Luther.
1524	Quitte l'ordre franciscain et rejoint celui des Bénédictins de Maillezais.	Début de la construction du château de Chambord.
1525		La Sorbonne condamne les écrits d'Érasme ; ce dernier critique les positions de Luther. Défaite des troupes françaises à Pavie ; François Ier est fait prisonnier en Espagne.

Vie et œuvre de Rabelais	Événements historiques et culturels
1527	François Ier reçoit le soutien du Pape. Les troupes impériales attaquent Rome.
1528 Quitte l'habit de moine pour revêtir celui de prêtre séculier. Séjour à Paris où il commence des études de médecine.	
1529	Exécution de Louis de Berquin, traducteur de Luther.
1530 Reçu bachelier.	Création du Collège des lecteurs royaux.
1531 Il donne des cours sur la médecine antique à la faculté de Montpellier.	
1532 Médecin à Lyon: traduction et édition des médecins de l'Antiquité. Fréquente Étienne Dolet. Correspondance avec Érasme. Publication du *Pantagruel*.	
1533	Calvin adhère à la Réforme.
1534 Publication du *Gargantua* (ou 1535). Séjours à Rome.	L'imprimerie, menacée d'interdiction, passe sous le contrôle du Parlement. Affaire des Placards.
1535 Séjour à Rome.	Exil de Marot en Italie. Exécution de Thomas More. François Ier s'allie avec les Turcs.
1536 Le Pape Paul III l'autorise à pratiquer la médecine et l'absout du crime d'apostasie.	Mort d'Érasme.
1537 Reçu docteur en médecine, il enseigne à Montpellier et à Lyon.	Mort de Lefèvre d'Étaples.
1538	Entrevue d'Aigues-Mortes à laquelle assiste Rabelais; trêve entre l'empereur et le roi de France.
1539	Ordonnance de Villers-Cotterêts. Les écrits de Calvin sont interdits.

	Vie et œuvre de Rabelais	Événements historiques et culturels
1540		Mort de Guillaume Budé.
1542		La trêve entre Charles Quint et François Ier est rompue.
1543	*Pantagruel* et *Gargantua* sont censurés par le Parlement.	
1544		Mort de Marot. Paix de Crépy-en-Lannois.
1545		La Sorbonne et le Parlement font une liste des livres censurés.
1546	Publication du *Tiers Livre*, censuré par la Sorbonne. Fuite à Metz où il est nommé médecin. Séjour à Rome en tant que médecin de Jean du Bellay.	Mort de Luther. Exécution d'Étienne Dolet. Guerre de l'empereur contre les princes protestants.
1547	Séjour à Rome.	Mort de François Ier et avènement d'Henri II.
1549		Mort de Marguerite de Navarre.
1550	Obtient du roi un privilège l'autorisant à publier ses œuvres. Accusé d'impiété par Calvin.	
1551	Curé près du Mans.	Reprise de la guerre entre la France et l'Empire germanique.
1552	Publication du *Quart Livre*, censuré par la Sorbonne.	
1553	Meurt à Paris.	
1564	Publication posthume du *Cinquième Livre*.	

Gargantua

François Rabelais

LA
PLAISANTE,
ET IOYEVSE
histoyre du grand
Geant Gargantua.

Prochainement reueue & de beaucoup
augmentée par l'Auheur mesme

A Valence.
Chés Claude La Ville.
1547.

Frontispice de l'édition de 1547 du *Gargantua*.

Liste des personnages

Alcofribas Nasier : narrateur du *Pantagruel* et du *Gargantua*. Anagramme* de François Rabelais, c'est sous ce pseudonyme que ce dernier publie ces deux œuvres.

Badebec (« bâille-bec » signifie se tenir bouche bée et, sous-entendu, avoir un air niais) : femme de Gargantua, fille du roi des Amaurotes.

Carpalim (en grec « le rapide ») : valet de Pantagruel.

Echéphron (en grec « le prudent ») : conseiller militaire de Picrochole.

Epistémon (en grec « le savant ») : précepteur de Pantagruel.

Eudémon (en grec « le fortuné ») : jeune page de Gargantua.

Eusthénès (en grec « le fort ») : compagnon de Pantagruel.

Gargantua (en langue d'oc *gargante* signifie « le gosier ») : fils de Grandgousier et père de Pantagruel. Selon l'étymologie fantaisiste de Rabelais, ce nom est dérivé de l'expression : « Que grand tu as ! » (sous-entendu le gosier).

Grandgousier (« grand gosier », grand buveur) : père de Gargantua.

Gymnaste (en grec « le sportif ») : écuyer de Pantagruel.

Janotus de Bragmardo (*jan* signifie simple d'esprit ; *bracquemart* désigne à la fois l'épée et le sexe masculin) : orateur, théologien.

Jean des Entommeurs (« entommure » signifie hachis, aussi bien au sens propre que figuré) : moine de l'abbaye de Seuillé.

Loup Garou : ennemi de Pantagruel et capitaine des géants. Le loup-garou est à l'origine une créature mythique et maléfique, mi-homme mi-loup.

Marcoul : conseiller de Picrochole.

Merdaille : conseiller de Picrochole.

Pantagruel : fils de Gargantua, qui deviendra le roi des Dipsodes (« assoiffés » en grec). Rabelais invente l'étymologie suivante : *panta* en grec signifie « tout » et *gruel* en langage mauresque signifie « altéré ». Dans la littérature médiévale, rappelons que Pantagruel est le nom d'un diable qui a le pouvoir d'assoiffer les gens en leur jetant du sel dans la gorge.

Panurge (en grec « celui qui fait tout ») : ami de Pantagruel. À noter que ce nom devient l'anagramme de Pantagruel si l'on y ajoute les lettres « a », « l » et « t ». Or, en latin, la racine « alt » signifie « autre ». Ainsi, Panurge serait un autre Pantagruel, son *alter ego*, son double.

Picrochole (en grec « bile amère », signe d'humeur colérique) : roi de Lerné en Touraine et ennemi de Gargantua.

Ponocratès (en grec « dur au travail ») : précepteur de Gargantua.

Thaumaste (en grec « celui qui admire » ou « celui qui est admirable ») : savant anglais.

Théodore (prénom qui en grec signifie « don de Dieu ») : savant médecin, précepteur de Gargantua.

Touquedillon (en langue d'oc signifie « fanfaron, vantard ») : capitaine des armées de Picrochole.

Ulrich Gallet : conseiller de Grandgousier.

Aux lecteurs

Amis lecteurs qui ce livre lisez,
Despouillez vous de toute affection[1],
Et, le lisant ne vous scandalisez :
Il ne contient mal ne infection[2].
5 Vray est qu'icy peu de perfection
Vous apprendrez, si non en cas de rire :
Aultre argument ne peut mon cueur elire.
Voyant le dueil qui vous mine et consomme
Mieulx est de ris que de larmes escripre,
10 Pour ce que rire est le propre de l'homme[3].

* Le texte proposé dans la présente édition en page de gauche est le dernier que Rabelais ait revu et corrigé dans l'édition parue à Lyon chez François Juste, en 1542. Nous avons conservé la graphie originale et non celle qu'utilisent traditionnellement les éditeurs pour rendre la lecture plus facile. Toutefois, afin de rendre le texte aussi fidèle à l'original qu'accessible aux lecteurs, nous avons dû procéder à une modernisation de la ponctuation (suppression des doubles points employés à répétition dans une même phrase, ajout des guillemets et des tirets dans les passages de dialogue, etc.) et de l'orthographe.

L'ordre des livres a été modifié par Rabelais. Le *Pantagruel*, rédigé en premier (1532), devient le second livre, et *Gargantua* (1534-1535) le premier, la vie du fils se plaçant ainsi logiquement après celle du père.
La présence des crochets [...] signale les passages que nous avons coupés.

Aux lecteurs

Amis lecteurs, qui lisez ce livre,
Dépouillez-vous de toute passion
Et ne soyez pas scandalisés en le lisant :
Il ne contient ni mal ni perverse intention.
5   Il est vrai qu'il y a peu de perfection
À y trouver, si ce n'est en matière de rire.
Mon cœur ne peut choisir d'autre sujet
Quand je vois la peine qui vous mine et consume.
Il vaut mieux traiter du rire que des larmes
10   Parce que le rire est le propre de l'homme.

notes

1. **affection** : terme dérivé du latin *adfectio*. Modification, qui apparaît au XIIe siècle dans la langue française au sens de sentiment, émotion ; avec Rabelais notamment, le sens du mot se précise : il est ici synonyme de sentiment ardent, passionné ; un autre sens du terme apparaît en 1539, celui d'affection au sens cette fois de maladie, où le mot correspond davantage à son étymologie latine.
2. **infection** : terme dérivé du latin *infectio*. Action de teindre, et dans un sens figuré : souillure ; il apparaît dans la langue, à la fin du XIIIe siècle, au sens de pensée impure. C'est le sens que revêt le mot chez Rabelais :

à partir du XIVe siècle, le terme est aussi utilisé pour désigner la pénétration dans un organisme de germes pathogènes et les troubles qui en résultent. À partir du XVe siècle, le terme revêt les acceptions qui sont encore les siennes aujourd'hui, pour désigner une « chose infecte », ou encore une maladie contagieuse, et la propagation de cette maladie.
3. **rire est le propre de l'homme** : Rabelais emprunte cette formule au philosophe grec Aristote (385-322 av. J.-C.). À l'époque où Rabelais écrit, certains médecins s'intéressent aux vertus thérapeutiques du rire.

Prologue

Beuveurs tres illustres, et vous Verolez[1] tres precieux (car à vous, non à aultres, sont dediez mes escriptz) Alcibiades[2] ou dialogue de Platon intitulé *Le Bancquet*, louant son precepteur[3] Socrates, sans controverse prince des philosophes : entre aultres parolles le dict

5 estre semblable es Silenes[4]. Silenes estoient jadis petites boites telles que voyons de present es bouticques des apothecaires[5] pinctes au dessus de figures joyeuses et frivoles[6], comme de harpies[7], Satyres[8], oysons bridez, lievres cornuz[9], canes bastées[10], boucqs volans, cerfz limonniers[11], et aultres telles pinctures contrefaictes à plaisir pour

10 exciter le monde à rire, quel fut Silene, maistre du bon Bacchus[12] : mais au dedans l'on reservoit les fines drogues comme baulme, ambre gris, amomon[13], musc, zivette[14], pierreries et aultres choses precieuses. Tel disoit estre Socrates : par ce que le voyans au dehors et l'estimans par l'exteriore apparence, n'en eussiez donné un cou-

15 peau d'oignon, tant laid il estoit de corps et ridicule en son main-tien[15], le nez pointu, le reguard d'un taureau, le visaige d'un fol, simple en meurs, rustiq en vestimens, pauvre de fortune, infortuné en femmes, inepte à tous offices[16] de la republique, tousjours riant, tousjours beuvant d'autant à un chascun, tousjours se guabelant,

20 tousjours dissimulant son divin sçavoir. Mais ouvrans[17] ceste boyte :

1. Verolez : se dit de personnes atteintes de la syphilis.
2. Alcibiades : homme politique athénien réputé pour sa beauté et son intelligence ; il est l'un des protagonistes du *Banquet* de Platon, dialogue philosophique consacré au thème de l'amour. Dans cet ouvrage, le philosophe Platon (428-347 av. J.-C.) rapporte une discussion de « *buveurs très illustres* », entre le philosophe Socrate (470-399 av. J.-C.) et quelques-uns de ses disciples.
3. precepteur : personne qui est chargée de l'éducation d'un enfant.

4. Silenes : dans le *Banquet*, Socrate est comparé aux statues de Silènes qui, lorsqu'on les ouvrait, dissimulaient des figurines de dieux. Silène, dans la mythologie grecque, maître en matière d'ivresse, est le précepteur de Bacchus.
5. apothecaires : préparateurs et vendeurs de remèdes ; au début du XIXe siècle, le terme est remplacé par le mot pharmacien.
6. frivoles : désigne des choses futiles, sans importance.
7. harpies : monstres fabuleux de la mytho-logie grecque, à tête de femme et à corps d'oiseau.

Prologue

Buveurs très illustres, et vous vérolés très précieux (car c'est à vous, non à d'autres que sont dédiés mes écrits) Alcibiade, quand il loue, dans le dialogue de Platon intitulé *Le Banquet*, son précepteur Socrate, sans conteste prince des philosophes, le déclare,
5 entre autres propos, semblable aux Silènes. Les Silènes étaient jadis de petites boîtes, comme nous en voyons à présent dans les boutiques des apothicaires, peintes par-dessus de figures plaisantes et frivoles : harpies, satyres, oisons bridés, lièvres cornus, canes bâtées, boucs volants, cerfs attelés, et autres peintures telles,
10 imaginées à plaisir pour inciter le monde à rire (tel était Silène, maître du bon Bacchus) ; mais au-dedans, l'on gardait de précieuses essences : baume, ambre gris, amone, musc, civette, pierreries et autres choses précieuses. C'est ainsi, disait-il, qu'était Socrate, parce qu'en considérant son extérieur, et en le jugeant
15 sur l'apparence, on n'en aurait pas donné une pelure d'oignon, tant son corps était laid et son maintien ridicule : le nez pointu, un regard de taureau, un visage de fou, simple de manière, grossièrement vêtu, pauvre de biens, malheureux en amour, inapte à toutes les fonctions publiques, toujours riant, toujours défiant
20 chacun à boire, toujours raillant, toujours dissimulant son divin savoir. Mais en ouvrant cette boîte, vous y auriez trouvé une

notes

8. Satyres : divinités de la terre, êtres à corps humain dotés de cornes et de pieds de chèvre.
9. oysons bridez, lievres cornuz : les deux expressions désignent des individus crédules et sots.
10. canes bastées : jeu de mots sur âne bâté, expression populaire pour désigner un imbécile ; la câne est la femelle du canard et l'adjectif bâté est formé sur le mot bât (selle grossière que l'on place sur le dos des bêtes de somme).
11. cerfz limonniers : cerfs attelés au limon (bras d'une charette).

12. Bacchus : dieu de l'ivresse chez les Romains (Dionysos chez les Grecs).
13. amomon : terme grec pour désigner l'amone, plante de Madagascar, dont les graines sont utilisées en parfumerie.
14. zivette : sécrétion animale, utilisée comme parfum.
15. maintien : manière de se tenir, posture.
16. offices : ici synonyme de charges, de fonctions publiques.
17. ouvrans : valeur conditionnelle du participe (si vous aviez ouvert) ; tournure fréquente en ancien français.

eussiez au dedans trouvé une celeste et impreciable drogue, entendement plus que humain, vertus merveilleuse, couraige invincible, sobresse non pareille, contentement certain, asseurance parfaicte, deprisement incroyable de tout ce pourquoy les humains tant veiglent, courent, travaillent, navigent et bataillent.

25

A quel propos[1], en voustre advis, tend ce prelude[2] et coup d'essay ? Par autant que vous, mes bons disciples, et quelques aultres foulz de sejour[3], lisans les joyeulx tiltres d'aulcuns[4] livres de nostre invention, comme *Gargantua*, *Pantagruel*, *Fessepinte*[5], *La Dignité des Braguettes*, *Des Poys au lard cum commento*, etc., jugez trop facilement ne estre au dedans traicté que mocqueries, folateries[6] et menteries joyeuses : veu que l'ensigne exterieure (c'est le tiltre) sans plus avant enquerir est communement receu à dérision et gaudisserie[7]. Mais par telle legiereté ne convient estimer les œuvres des humains. Car vous mesmes dictes que l'habit ne faict poinct le moine : et tel est vestu d'habit monachal qui au dedans n'est rien moins que moyne, et tel est vestu de cappe Hespanole, qui en son couraige nullement affiert à Hespane. C'est pourquoy fault ouvrir le livre : et soigneusement peser ce que y est deduict. Lors congnoistrez que la drogue[8] dedans contenue est bien d'aultre valeur que ne promettoit la boite. C'est à dire que les matieres icy traictées ne sont tant folastres, comme le tiltre au dessus pretendoit.

30

35

40

Et, posé le cas, qu'au sens literal vous trouvez matieres assez joyeuses et bien correspondentes au nom, toutefois pas demourer là ne fault comme au chant de Sirenes : ains à plus hault sens interpreter ce que par adventure cuidiez dict en gayeté de cueur.

45

---

notes

1. propos : but, intention.
2. prelude : terme de musique, qui désigne généralement ce qui précède quelque chose.
3. aultres foulz de sejour : l'expression désigne des fous oisifs, désœuvrés.
4. d'aulcuns : le terme a, au Xe siècle, une valeur positive ; ici synonyme de « quelques ».

5. Fessepinte : nom qui signifie « qui vide rapidement les pots, grand buveur » ; cet ouvrage, comme la « *Dignité des braguettes* » et « *Des Poys au lard cum commento* », sont sans doute des œuvres imaginaires.
6. folateries : badinages, plaisanteries.
7. gaudisserie : moquerie.

céleste et inappréciable drogue : intelligence plus qu'humaine, extraordinaire vertu, courage invincible, sobriété sans égale, indiscutable constance, certitude parfaite, mépris incroyable de
25 tout ce pourquoi les humains veillent, courent, travaillent, naviguent et bataillent.

À quoi tend, selon vous, ce prélude et coup d'essai ? C'est que vous, mes bons disciples, avec quelques autres fous désœuvrés, en lisant les titres joyeux de certains livres de notre invention,
30 *Gargantua, Pantagruel, Fessepinte, La Dignité des braguettes, Des pois au lard accompagnés d'un commentaire*, etc., vous estimez trop facilement qu'on y traite seulement de railleries, de bagatelles et de mensonges joyeux, puisque l'enseigne extérieure (c'est-à-dire le titre), si l'on ne cherche pas plus loin, offre ordinairement
35 matière à dérision ou à plaisanterie. Mais il ne faut pas juger si légèrement les œuvres des hommes. Vous dites bien vous-mêmes que l'habit ne fait pas le moine, et tel est vêtu d'une cape espagnole qui n'a rien à voir avec l'Espagne. C'est pourquoi il faut ouvrir le livre et peser soigneusement ce qui y est exposé. Vous
40 connaîtrez alors que l'essence contenue au-dedans est de bien autre valeur que ne le promettait la boîte, c'est-à-dire que les matières ici traitées ne sont pas aussi frivoles que le titre ci-dessus le laissait entendre.

Et, en supposant qu'au sens littéral vous trouviez matières
45 assez joyeuses, en accord avec le titre, il ne faut pas s'en tenir là, comme pour le chant des Sirènes, mais interpréter dans un sens plus élevé ce que peut-être vous croyez dit de gaieté de cœur.

---

note

8. drogue : ce n'est qu'au début du Xe siècle que le terme prend le sens de produit stupéfiant ; ici, il a le sens de préparation pharmaceutique.

[...] vous convient estre saiges, pour fleurer, sentir, et estimer ces beaulx livres de haulte gresse[1], legiers au prochaz et hardiz à la rencontre. Puis, par curieuse leçon[2], et meditation frequente,

50 rompre l'os et sugcer la sustantificque mouelle, c'est à dire ce que j'entends par ces symboles Pythagoricques[3], avecques espoir certain d'estre faictz escors et preux[4] à ladicte lecture. Car en icelle bien aultre goust trouverez et doctrine plus absconce, laquelle vous revelera de tres haultz sacremens et mysteres horrificques[5],

55 tant en ce que concerne nostre religion, que aussi l'estat politicq et vie oeconomicque.

[...]

notes

---

1. de haulte gresse : de grande valeur.
2. leçon : lecture attentive.
3. Pythagoricques : Rabelais prête à ses récits une valeur symbolique, comme on en

attribuait aux préceptes du philosophe grec Pythagore (vi[e] siècle av. J.-C.).
4. escors et preux : avisés et sages.
5. horrificques : qui cause de l'horreur.

32

[…] il vous convient d'être sages pour flairer, sentir et apprécier ces beaux livres de haute graisse, d'être légers à l'approche et hardis à l'attaque ; puis, par une soigneuse lecture et de fréquentes réflexions, rompre l'os et sucer la substantifique moelle, c'est-à-dire ce que je signifie par ces allégories à la manière de Pythagore, dans l'espoir assuré de devenir avisés et sages à ladite lecture ; car en celle-ci vous trouverez un tout autre goût, et une science plus secrète, laquelle vous révélera de bien grandes connaissances sacrées et des mystères horrifiques, tant en ce qui concerne notre religion que la situation politique et la vie économique.

[…]

O Bouteille pleine toute
De myſtere d'vne aureille
Ie t'eſcoute ne differes,
Et le mot proferes,
Auquel pend mon cœur,
Et ta tant diuine liqueur,
Bacchus qui fut d'Inde vainqueur
Tient toute verité encloſe.
Vin tãt diuin loing de toy forcloſe,
Toute menſonge & toute trõperie,
En ioye ſoit l'Arche de Noac cloſe,
Lequel de toy nous fit la temperie,
Sonne le beau , ie t'en prie,
Qui ne me doit eſtre de miſere,
Ainſi ne ſe perde vne goutte
De toi ſoit blãche, ou ſoit vermeille
O Bouteille pleine toute de miſteres
D'vne aureille ie t'eſcoute,
Ne differes.

Comment Bacbuc interprete le mot de la Bouteille,
CHAP. XLVI.

Bacbuc iettant ie ne ſçay quoy dans le
tymbre, dont ſoudain fut l'ebulution de

T t iij

La « dive bouteille », poème de Rabelais tiré du *Cinquième Livre*. Comme Rabelais le signale dans le prologue du *Gargantua*, les lecteurs sont comparables à des « buveurs » et, par conséquent, le texte à une boisson. La quête de la « dive bouteille » fait écho à celle de la « substantifique moelle ».

Le prologue désigne d'abord dans la tragédie grecque le moment qui précède l'entrée du chœur, qui marque le commencement proprement dit de la tragédie et dans lequel l'auteur expose le sujet de sa pièce. Par la suite, le terme désigne de façon plus générale un texte servant d'introduction à une œuvre.

Ce prologue revêt un aspect particulier puisque, sous le pseudonyme d'Alcofribas Nasier, le narrateur s'adresse aux lecteurs comme à autant de convives auxquels il reviendrait de lire *Gargantua* comme s'ils s'attablaient autour d'un succulent repas : le plaisir du texte doit alors se savourer comme un mets délicieux. Ce prologue place donc d'entrée de jeu le texte de Rabelais sous le signe du carnaval et de la fête populaire. Appuyant une telle comparaison, la référence au *Banquet* de Platon, mettant en scène le dialogue entre Socrate et ses amis autour du thème de l'amour, est également révélatrice de l'inscription de Rabelais dans l'humanisme de la Renaissance caractérisé par la restitution, et parfois la réécriture, des textes issus de l'Antiquité.

Ce texte liminaire permet enfin de s'interroger sur les rapports qu'un auteur entretient avec son lecteur. Plus qu'une simple adresse, le narrateur lance une invitation aux lecteurs en les avertissant préalablement de ce qu'il attend d'eux : découvrir sous le sens littéral* et apparent de ses propos un sens implicite* et plus profond, donner à leur lecture la démarche d'une interprétation.

* *Cf.* Lexique.

Rabelais et la culture populaire du Moyen Âge

La critique sociologique est une forme de critique littéraire qui tend à expliquer la création artistique par l'état d'une société à un moment donné de l'histoire et par les rapports de forces qui traversent celle-ci. Le critique Georges Lukács a pu ainsi expliquer l'œuvre de Balzac par la prise de pouvoir d'une nouvelle classe sociale, la bourgeoisie, sous la monarchie de Juillet. Cette forme de critique littéraire s'est particulièrement développée au XXe siècle sous l'influence de la philosophie de Karl Marx selon laquelle l'homme est entièrement déterminé par la classe sociale à laquelle il appartient.

Un critique russe des années 1930, Mikhaël Bakhtine, explique dans son essai sur Rabelais et la culture populaire au Moyen Âge que l'œuvre de Rabelais est le reflet d'une littérature de carnaval telle qu'elle s'est par exemple développée dans les foires du Moyen Âge. On retrouve chez Rabelais tous les aspects de la fête médiévale : goût du travestissement, présence du grotesque, insistance sur le corps, etc. Toute une forme de comique entre ainsi en littérature et c'est en ce sens que le *Gargantua* offre un message politique. Face aux codes d'un Moyen Âge dominé par le pouvoir de l'Église et qui renvoyait à l'homme le visage d'une créature misérable, coupable et victime de ses instincts, l'œuvre de Rabelais offre un message de libération : libération des codes de l'œuvre littéraire, libération du bas corporel auquel, à de multiples reprises, le *Gargantua* fait écho.

❶ Quels sont les différents registres de langue* utilisés par l'auteur ? Quel est l'effet recherché ? Que faut-il conclure de cette variété ?

❷ Relevez les différentes figures d'insistance (accumulation, énumération, hyperbole*…) employées par l'auteur. Quelle tonalité ces procédés visent-ils à créer ?

❸ Relevez les termes appartenant au champ lexical* du corps et de la nourriture. Quels effets l'emploi de ces termes peut-il créer chez le lecteur ? À quel thème sont-ils reliés ? Quelle conception de l'œuvre littéraire est ici exprimée par Rabelais ?

* *Cf.* Lexique.

❹ En vous appuyant sur des procédés* précis, relevez dans cet extrait les thèmes constitutifs de la fête et du carnaval.

❺ Comment et à quelles fins s'articulent ici la culture savante et la culture populaire ?

Auteur et lecteur

On pourrait définir l'œuvre littéraire comme une matière inerte, à laquelle seule l'imagination du lecteur viendrait donner vie. Si bien qu'il ne saurait y avoir de littérature sans ce travail créateur du lecteur qui recompose et réinvente à sa guise, aidé de son propre imaginaire, l'histoire qui lui est racontée par le narrateur. Dans ce prologue, Rabelais s'adresse directement à ses lecteurs, initiant ainsi une démarche présente dans tous les genres littéraires, de Montaigne à Hugo, en passant par Lautréamont.

Ce type de prologue, d'avertissement et de discours (*cf.* p. 119) au lecteur s'inscrit dans un jeu de séduction entre un auteur et son lecteur : qu'il l'accepte ou le récuse, tout auteur écrit pour être lu, et cette apostrophe au lecteur participe toujours d'une volonté de susciter l'intérêt et la curiosité de celui-ci. Bien plus, tout auteur, par son écriture, attend un certain type de réactions de la part de son lecteur. Comme le soutient un critique contemporain, écrire revient toujours à «construire son propre modèle de lecteur». De la sorte, il s'agira ici d'analyser le profil du lecteur idéal construit par Rabelais.

.... **Le destinataire du prologue** ....

❻ Relevez dans ce prologue les procédés caractéristiques du discours.

❼ Au cours de l'extrait, les termes par lesquels les lecteurs sont directement désignés sont-ils valorisants ? Doit-on les comprendre dans un sens littéral* ?

❽ Relevez les verbes qui caractérisent la tonalité didactique* du discours du locuteur*.

❾ Selon l'extrait, quelles sont les qualités requises pour lire *Gargantua* ? Quel modèle de lecteur est ici dessiné par Rabelais ?

* *Cf.* Lexique.

.... **Le jeu de l'auteur avec le lecteur** ....

⑩ En quoi ce texte formule-t-il une véritable méthodologie de lecture ?

⑪ Pourquoi peut-on affirmer qu'il y a un jeu entre Rabelais et son lecteur ? Les propos tenus par le locuteur ne sont-ils pas contradictoires ?

Extrait du film *Molière* réalisé par Arianne Mnouchkine. Comme chez Rabelais, la culture populaire s'incarne sur les places publiques, à l'occasion des foires et des fêtes de rue.

Le personnage de Socrate, évoqué ici par Rabelais et considéré comme la figure fondatrice de la philosophie grecque et occidentale, vécut à Athènes, dans la deuxième moitié du Ve siècle avant J.-C. Mal vêtu, errant pieds nus à travers la ville, il dispensait au hasard des rencontres un enseignement qui, sous forme de dialogue, ne consistait qu'à interroger et à mettre en doute, non sans ironie* d'ailleurs, les connaissances de son interlocuteur. Il ne s'agissait pas pour lui d'inculquer un savoir mais d'amener l'interrogé à prendre conscience de son ignorance, à reconnaître qu'en réalité, il ne sait rien. Socrate n'ayant jamais rien écrit, c'est son disciple Platon qui s'est chargé de retranscrire les dialogues de son maître.

Se caractérisant par la redécouverte des œuvres de l'Antiquité grecque et romaine, l'humanisme accorde à la figure de Socrate une place essentielle. Confronter le texte de Rabelais avec ceux des auteurs grecs nous donne ainsi l'occasion d'analyser un travail de réécriture et de comprendre combien, loin de se réduire à une simple imitation des ouvrages de l'Antiquité, l'humanisme en constitue un enrichissement.

Platon, *Le Banquet*

Dans ce dialogue, dont l'action remonte à 385 avant J.-C., Platon (env. 428 – env. 348 avant J.-C.) met en scène Socrate et quelques-uns de ses disciples invités, à l'occasion d'un banquet, à débattre du thème de l'amour. Chacun des participants est convié à livrer son opinion sur la question. Lorsque, dans la troisième partie du dialogue, arrive le tour d'Alcibiade, ce dernier, dont Socrate s'est épris, prononce en guise de discours sur l'amour l'éloge du philosophe.

* *Cf.* Lexique.

Cet éloge de Socrate, Messieurs, voici comment je me propose de l'entreprendre : en recourant à des images ! L'intéressé probablement ne manquera pas de penser que c'est dans l'intention de grossir la bouffonnerie ; non ! l'image viendra ici en vue de la vérité, non de la bouffonnerie. Voilà donc ce que je déclare : c'est qu'il est tout pareil à ces silènes[1] qu'on voit plantés dans les ateliers de sculpture, et que les artistes représentent tenant un pipeau ou une flûte ; les entrouvre-t-on par le milieu, on voit qu'à l'intérieur ils contiennent des figurines de dieux ! Et je déclare en second lieu qu'il a l'air du satyre[2] Marsyas. [...] Mais je ne suis pas flûtiste, diras-tu. [...] Tu ne diffères pas de lui, sauf en ce que sans instruments, par des paroles sans accompagnement, tu produis ce même effet. [...] Quand c'est toi qu'on entend, ou bien tes paroles rapportées par un autre, celui qui les rapporte, fût-il de dernier ordre et l'auditeur, peu importe, femme, homme ou adolescent, le coup dont elles nous ont frappés nous trouble, et nous en sommes possédés.

Platon, Le Banquet, 385-370 avant J.-C, Les Belles Lettres, trad. Léon Robin.

1. silènes : voir note 4 page 28. **2. satyre :** divinité de la terre, avec un corps d'homme, des cornes et des pieds de chèvre.

Xénophon, *Le Banquet*

Le Banquet de Xénophon (430 env. – 352 avant J.-C.) est postérieur à celui de Platon et contribue à faire du « banquet » un genre littéraire à part entière, qui pourrait se définir comme le récit d'une conversation, badine et sérieuse, entre personnes illustres. Le texte de Xénophon offre, comme celui de Platon, le tableau de jeunes gens festoyant, au milieu du vin, des musiciens et des acrobates, tout en discutant d'un sujet d'importance : quel est le plus grand bien ? Pour le jeune Critobule, ce ne peut être que la beauté ; Socrate le prend au mot et tente de convaincre l'auditoire que sa beauté à lui est bien supérieure à celle de l'élégant Critobule.

– [...] Qu'est-ce à dire ? s'écria Socrate ; te crois-tu donc plus beau que moi pour te vanter de la sorte ? – Oui, par Zeus, répondit Critobule, sinon je serais le plus laid de tous les silènes[1] que l'on voit dans les drames satyriques. (Il se trouvait en effet que Socrate leur ressemblait.) Allons, démontre-nous [...] si tu peux avancer quelque habile argument que tu es plus beau que moi. Seulement, ajouta-t-il, que l'on approche la lampe. – Eh bien, reprit Socrate, je commence par t'assigner pour l'instruction du procès. Allons, réponds-moi [...]. La beauté, à ton avis, réside-t-elle uniquement chez l'homme seul, ou la trouve-t-on aussi ailleurs ? – Je crois, par

Zeus, qu'elle existe aussi chez un cheval, un bœuf et beaucoup d'objets inanimés. Je sais, par exemple, qu'un bouclier peut être beau, tout comme une épée et une lance. – Et comment est-il possible que ces objets qui ne se ressemblent nullement soient cependant tous beaux ? – Par Zeus, répondit Critobule, s'ils ont été bien fabriqués en vue des ouvrages pour lesquels nous acquérons chacun d'eux ou s'ils sont par nature bien appropriés à nos besoins, ces objets ont aussi leur beauté. – Sais-tu donc pourquoi nous avons besoin des yeux ? – C'est évidemment pour voir. – À ce compte, mes yeux seraient déjà plus beaux que les tiens. – Comment donc cela ? – C'est que tes yeux voient seulement droit devant eux, tandis que les miens sont aussi de côté puisqu'ils sont à fleur de tête. – [...] Voyons les nez : lequel est le plus beau, le tien ou le mien ? – Le mien, à mon avis, si du moins c'est pour sentir que les dieux nous ont donné des nez. Tes narines, en effet, regardent vers la terre, les miennes sont retroussées, de manière à capter de partout les odeurs. – Mais comment un nez camus[2] serait-il plus beau qu'un nez droit ? – Parce qu'il ne fait pas barrière, mais permet aux yeux de voir sur-le-champ ce qu'ils veulent ; un nez haut, au contraire, dresse comme par arrogance un mur entre les yeux. – Pour la bouche, continua Critobule, à toi la palme ; car si elle est faite pour mordre, tu peux emporter de beaucoup plus gros morceaux que moi. Et ne crois-tu pas que l'épaisseur de tes lèvres rend ton baiser plus moelleux que le mien ? – À t'entendre, réplique Socrate, il semble que ma bouche soit plus vilaine que celle des ânes. Mais ne comptes-tu pour rien comme preuve de la supériorité de ma beauté sur la tienne le fait que les Naïades[3], qui sont des divinités, donnent la vie aux Silènes qui me ressemblent plus qu'à toi ?

Xénophon, *Banquet*, env. 365 avant J.-C., Les Belles Lettres, trad. J. C. Carrière.

1. silènes : voir note 4 page 28. **2. camus :** nez court et plat. **3. Naïades :** divinités des eaux qui s'unissaient aux Silènes dans les cavernes.

∗ *Cf.* Lexique.

Document : buste de Socrate, Musée du Capitole, Rome.

Corpus

Texte A : Prologue de *Gargantua* de François Rabelais (pp. 28 à 33).
Texte B : Extrait du *Banquet* de Platon (p. 39).
Texte C : Extrait du *Banquet* de Xénophon (pp. 40-41).
Document iconographique : Buste de Socrate (p. 42).

Examen des textes

❶ Dans le texte B, relevez les différentes comparaisons servant à faire le portrait de Socrate. Quelle est leur fonction ?

❷ Dans le texte C, quels arguments Socrate utilise-t-il pour prouver la supériorité de sa beauté ?

❸ Quelle conception de la beauté apparaît dans le texte C ?

❹ Quels sont les éléments du portrait de Socrate que Rabelais a empruntés à Platon et à Xénophon ? En quoi Rabelais a-t-il enrichi ces descriptions ? Que peut-on en conclure quant à la spécificité de l'écriture de Rabelais ?

❺ Comparez le portrait de Socrate qui nous est fait dans les trois textes du corpus avec le document représentant le buste de Socrate. Qu'en pensez-vous ?

Travaux d'écriture

Question préliminaire
Identifiez dans les textes A, B et C les éléments constitutifs du portrait qui est fait de Socrate. Quelle est leur tonalité dominante ?

Commentaire
Faites un commentaire composé du texte A (de la ligne 1 à la ligne 26 : «*[...] naviguent et bataillent*»).

Dissertation
Gustave Flaubert écrit : «Il n'y a pas de beau sujet d'œuvre d'art». En vous appuyant sur la réflexion au sujet de la beauté et de la laideur développée dans les textes du corpus, et sur vos propres exemples, vous discuterez ce jugement de Flaubert.

Sujet d'invention
En reprenant les éléments qui constituent le genre littéraire du banquet, vous rédigerez un discours faisant l'éloge d'un des convives.

Comment le nom fut imposé à Gargantua : et comment il humoit le piot[1]

Le bon homme[2] Grandgousier beuvant et se rigollant[3] avecques les aultres entendit le cry horrible que son filz avoit faict entrant en lumiere de ce monde, quand il brasmoit[4], demandant : « A boyre ! à boyre ! à boyre ! », dont il dist : « Que grand tu as ! » (*supple*[5] le
5 gousier). Ce que ouyans les assistans, dirent que vrayement il debvoit avoir par ce le nom Gargantua[6] [...].

Et luy feurent ordonnées, dix et sept mille neuf cens treze vaches de Pautille, et de Brehemond[7] pour l'alaicter ordinairement, car de trouver nourrice suffisante n'estoit possible en tout le pays, consi-
10 deré la grande quantité de laict requis pour icelluy alimenter. Combien qu'aulcuns docteurs Scotistes[8] ayent affermé que sa mere l'alaicta : et qu'elle pouvoit traire de ses mammelles quatorze cens deux pipes[9] neuf potées[10] de laict pour chascune foys. Ce que n'est vraysemblable, et a esté la proposition declairée mammallement[11]
15 scandaleuse, des pitoyables aureilles offensive : et sentent de loing heresie[12].

---

notes

1. humoit le piot : expression populaire, signifiant boire plus que de raison.
2. bon homme : homme de bon caractère, et d'un âge avancé.
3. se rigollant : construction transitive sortie d'usage, synonyme de s'amuser.
4. brasmoit : le verbe bramer apparaît d'abord pour désigner le cri d'un être humain, avant de désigner celui du cerf.

5. supple : impératif présent du verbe latin *supplere*, compléter, ajouter.
6. Gargantua : en langue d'oc, le terme *gargante* dont dérive le nom de « Gargantua » signifie « gosier ». L'étymologie que donne ici Rabelais est donc née de sa fantaisie.
7. de Pautille, et de Brehemond : deux villages de la région de Chinon réputés pour la fertilité de leurs terres.

Comment son nom fut donné à Gargantua et comment il humait le piot

[Chapitre 7]

Tandis qu'il buvait et s'amusait avec les autres, le bonhomme Grandgousier entendit l'horrible cri que son fils avait poussé en voyant le jour, quand il beuglait pour réclamer : « À boire, à boire, à boire ! » Ce qui lui fit dire : « Que grand tu as ! » (sous-entendez le gosier). En entendant ces mots, les gens qui se trouvaient là dirent que, pour cette raison, il lui fallait vraiment avoir nom Gargantua […].

On requit pour lui dix-sept mille neuf cent treize vaches de Pautille et de Bréhemont, pour l'allaiter régulièrement. Car, dans tout le pays, trouver une nourrice qui lui convînt était chose impossible, étant donné la grande quantité de lait nécessaire à son alimentation, bien que certains docteurs scotistes aient affirmé que sa mère l'allaita, et qu'elle pouvait traire de ses mamelles quatorze cent deux futailles et neuf potées de lait à chaque fois, ce qui n'est pas vraisemblable. Cette proposition a été déclarée mammallement scandaleuse, offensante pour de pieuses oreilles et sentant de loin l'hérésie.

notes

8. docteurs Scotistes : disciples du théologien Dun Scot (XIIIᵉ siècle).
9. pipes : anciennes mesures de capacité pour les liquides, équivalant à un muid et demi (soit environ 400 litres).
10. potées : contenu d'un pot.
11. mammallement : adverbe inventé par Rabelais, formé sur le substantif mamelle, et qui fait référence aux formules prétentieuses des théologiens de la Sorbonne.

12. des pitoyables aureilles offensive : et sentent de loing heresie : traduction quasiment littérale d'une formule latine par laquelle la Sorbonne justifiait sa censure de certains ouvrages : « *sententiam piarum aurium offensivam et haeresim sapientem* » (« une opinion qui offense les oreilles pieuses et qui sent l'hérésie ») ; ici, l'adjectif « pitoyables » remplace le terme pieux.

En cest estat passa jusques à un an et dix moys : onquel temps par le conseil des medecins, on commença le porter, et fut faicte une belle charrette à bœufs par l'invention de Jehan Denyau[1]. Dedans
20 icelle on le pourmenoit par cy par là joyeusement, et le faisoit bon veoir, car il portoit bonne troigne[2] et avoit presque dix et huyt mentons ; et ne crioit que bien peu ; mais il se conchioit[3] à toutes heures, car il estoit merveilleusement phlegmaticque des fesses[4], tant de sa complexion naturelle que de la disposition accidentale qui luy estoit
25 advenue par trop humer de purée septembrale[5]. Et n'en humoyt goutte sans cause.

Car s'il advenoit qu'il feust despit, courroussé, fasché ou marry, s'il trepignoyt, s'il pleuroit, s'il crioit, luy apportant à boyre l'on le remettoit en nature, et soubdain demouroit coy et joyeulx.

30 Une de ses gouvernantes m'a dict, jurant sa fy, que de ce faire il estoit tant coustumier, qu'au seul son des pinthes et flaccons, il entroit en ecstase, comme s'il goustoit les joyes de paradis. En sorte qu'elles considerans ceste complexion divine, pour le resjouir au matin faisoient davant luy sonner des verres avecques un cousteau,
35 ou des flaccons avecques leur toupon, ou des pinthes avecques leur couvercle. Auquel son il s'esguayoit, il tressailloit, et luy mesmes se bressoit en dodelinant de la teste, en monichordisant des doigtz, et barytonant[6] du cul.

---

1. Jehan Denyau : il est impossible de dire s'il s'agit d'un personnage ayant ou non réellement existé ; le nom de famille Deniau est assez répandu dans la région de Chinon.
2. troigne : désignation familière du visage.
3. conchioit : souiller d'excréments.
4. phlegmaticque des fesses : relâché, mou.

5. trop humer de purée septembrale : trop boire de vin ; la purée de septembre est une référence aux vendanges de l'automne.
6. monochordisant des doigtz, et barytonant : termes musicaux formés sur les substantifs « monocorde », ancêtre du clavecin, et « baryton » qui désigne celui qui chante entre la basse et le ténor.

Il passa ainsi un an et dix mois ; après quoi, sur le conseil des médecins, on commença à le porter et une belle charrette à bœufs fut fabriquée, grâce à l'habileté de Jean Deniau. On l'y promenait de-ci de-là, joyeusement, et il faisait bon le voir, car il avait une bonne trogne et presque dix-huit mentons ; il ne criait guère, mais se conchiait continuellement, car il était étonnamment flegmatique des fesses, tant par tempérament naturel que par une disposition accidentelle, qui provenait de ce qu'il humait trop de purée de septembre. Et il n'en humait pas sans raison, car s'il arrivait qu'il fût dépité, courroucé, fâché ou triste, s'il trépignait, s'il pleurait, s'il criait, on le calmait en lui apportant à boire et il restait aussitôt tranquille et joyeux.

Une de ses gouvernantes m'a juré ses grands dieux qu'il était si coutumier du fait qu'au seul bruit des pichets et des carafons, il entrait en extase, comme s'il goûtait les joies du paradis. Si bien que, voyant cette divine disposition, pour le mettre en gaieté le matin, elles faisaient tinter devant lui des verres avec un couteau, des carafons avec leur bouchon, ou des pichets avec leur couvercle et qu'il s'égayait à ce bruit, tressaillait et se berçait lui-même en dodelinant de la tête, pianotant des doigts et barytonnant du cul.

De l'adolescence[1] de Gargantua

Gargantua depuis les troys jusques à cinq ans, feut nourry et institué[2] en toute discipline convenente par le commandement de son pere, et celluy temps passa comme les petitz enfans du pays, c'est assavoir à boyre, manger et dormir; à manger, dormir et boyre; à dormir,
5 boyre et manger.

Tousjours se vaultroit par les fanges[3], se mascaroyt le nez, se chauffouroit le visaige. Aculoyt[4] ses souliers, baisloit souvent au mousches[5], et couroit voulentiers après les parpaillons, desquelz son pere tenoit l'empire[6]. Il pissoit sus ses souliers, il chyoit en sa chemise, il se mou-
10 schoyt à ses manches, il mourvoit dedans sa soupe. Et patroilloit[7] par tout lieux, et beuvoit en sa pantoufle, et se frottoit ordinairement le ventre d'un panier. Ses dens aguysoit d'un sabot, ses mains lavoit de potaige, se pignoit d'un goubelet. Se asseoyt entre deux selles le cul à terre. Se couvroyt d'un sac mouillé, beuvoyt en mangeant sa souppe.
15 Mangeoyt sa fouace[8] sans pain. Mordoyt en riant. Rioyt en mordent, souvent crachoyt on bassin[9], pettoyt de gresse, pissoyt contre le soleil[10]. Se cachoyt en l'eau pour la pluye. Battoyt à froid[11]. Songeoyt creux, faisoyt le succré[12]. Escorchoyt le renard[13], disoit la patenostre du cinge[14], retournoyt à ses moutons, tournoyt les truies au foin[15]. Battoyt

notes

1. adolescence: terme utilisé dans une intention comique car, au XVIe siècle, l'adolescence concerne la période allant de 17 à 30 ans. Or ce chapitre est consacré à l'enfance (3 à 5 ans).
2. institué: éduqué, instruit.
3. fanges: boues immondes.
4. Aculoyt: le terme se retrouve aujourd'hui dans l'expression «éculer ses souliers» qui signifie user la partie postérieure (le terme est formé sur le substantif cul) d'une chaussure.
5. baisloit souvent au mousches: expression figurée pour désigner un ennui profond. On dit aujourd'hui «bayer aux corneilles»; le verbe bailler signifie aussi désirer, rechercher quelque chose. Il évoque ici la chasse aux mouches de Gargantua.
6. desquelz son pere tenoit l'empire: au chapitre III, Gargamelle est présentée comme la fille du roi des Parpaillos, les Papillons, sauvages légendaires.
7. patroilloit: patrouiller signifie étymologiquement marcher dans la boue, patauger.
8. fouace: sorte de pain au beurre et aux œufs. L'expression est donc absurde, à moins qu'elle signifie que Gargantua ne mangeait que le beurre et les œufs.

De l'adolescence de Gargantua

Gargantua, de trois à cinq ans, fut élevé et instruit en toutes disciplines convenables, selon les directives de son père, et passa ce temps-là comme tous les petits enfants du pays, c'est-à-dire à boire, manger et dormir ; à manger, dormir et boire ; à dormir, boire et manger.

Il se vautrait toujours dans la fange, se noircissait le nez, se barbouillait le visage, éculait ses souliers, bayait souvent aux corneilles, aimait courir après les papillons, dont son père était roi. Il pissait sur ses souliers, il chiait dans sa chemise, se mouchait sur ses manches, reniflait dans sa soupe, pataugeait partout, buvait dans sa pantoufle et se frottait habituellement le ventre d'un panier. Il aiguisait ses dents sur un sabot, se lavait les mains dans le potage, se peignait avec un gobelet, s'asseyait le cul à terre entre deux chaises, se couvrait d'un sac mouillé, buvait en mangeant sa soupe, mangeait sa fouace sans pain, mordait en riant, riait en mordant, crachait souvent dans le plateau, pétait de graisse, pissait contre le soleil, se cachait de la pluie dans l'eau, battait froid, songeait creux, faisait le sucré, écorchait le renard, disait la patenôtre du singe, retournait à ses moutons, menait les truies au foin, battait le chien devant le lion, mettait la charrette avant les bœufs, se grattait où ça ne le démangeait pas, tirait les vers du nez, trop embrassait, mal étreignait, mangeait son pain

notes

9. crachoyt on bassin : donner de l'argent contre son gré ; l'expression tire probablement son origine de la quête, lors de la messe ; cette expression populaire se retrouve dans « cracher au bassinet ».
10. pissoyt contre le soleil : autrement dit perdait son temps.
11. Battoyt à froid : battre le fer sans le chauffer ; faire n'importe quoi (sens figuré).

12. faisoyt le succré : affectait un air aimable.
13. Escorchoyt le renard : vomir.
14. disoit la patenostre du cinge : désigne une suite de paroles confuses et inintelligibles, marmonnées comme l'on marmonne une prière (*pater noster*).
15. tournoyt les truies au foin : les truies ne mangent pas de foin ; au sens figuré, signifie agir en dépit du bon sens.

20 le chien devant le lion[1]. Mettoyt la charrette devant les beufz, se grattoyt où ne luy demangeoyt poinct. Tiroit les vers du nez. Trop embrassoyt et peu estraignoyt[2]. Mangeoyt son pain blanc le premier[3], ferroyt les cigalles[4]. Se chatouilloyt pour se faire rire, ruoyt très bien en cuisine, faisoyt gerbe de feurre au dieux[5], faisoyt chanter *Magnificat*
25 à matines[6] et le trouvoyt bien à propous. Mangeoyt chous et chioyt pourrée[7], congnoissoyt mousches en laict[8], faisoyt perdre les pieds au mousches[9]. Ratissoyt le papier, chaffourroyt le parchemin. Guaignoyt au pied[10]. Tiroyt au chevrotin[11], comptoyt sans son houste[12]. Battoyt les buissons sans prandre les ozillons. Croioyt que nues feussent pailles d'arain[13] et que vessies fussent lanternes. Tiroyt d'un sac
30 deux moustures[14]. Faisoyt de l'asne pour avoir du bren[15]. De son poing faisoyt un maillet, prenoit les grues[16] du premier sault. Vouloyt que maille à maille on feist les haubergeons[17]. De cheval donné tousjours reguardoyt en la gueulle[18]. Saultoyt du coq à l'asne. Mettoyt entre
35 deux verdes une meure[19], faisoit de la terre le foussé. Gardoyt la lune des loups[20]. Si les nues tomboient esperoyt prandre les alouettes[21]. Faisoyt de necessité vertus, faisoyt de tel pain souppe[22]. Se soucioyt aussi peu des raitz comme des tonduz[23]. Tous les matins escorchoyt le renard. Les petitz chiens de son pere mangeoient en son escuelle.
40 Luy de mesmes mangeoit avecques eux : il leurs mordoit les aureilles. Ilz luy graphinoient le nez. Il leurs souffloit au cul. Ilz luy leschoient les badigoinces[24]. […]

1. Battoyt le chien devant le lion : réprimander un inférieur devant un supérieur, ne pas s'en prendre au responsable.
2. Trop embrassoyt et peu estraignoyt : le proverbe « qui trop embrasse mal étreint » signifie celui qui veut trop faire risque bien de ne rien faire.
3. Mangeoyt son pain blanc le premier : commençait par le meilleur avant de finir par le pire.
4. ferroyt les cigales : mettre des fers aux pieds des cigales (désigne donc ici une action impossible et absurde).
5. faisoyt gerbe de feurre au dieux : tromper les dieux en leur offrant de la paille

(feurre) au lieu du grain, c'est-à-dire leur faire une offrande qui ne coûte rien.
6. faisoyt chanter *Magnificat* à matines : le magnificat est un hymne qui se chante à la messe du soir (aux vêpres).
7. pourrée : poirée, sorte de blette de la même espèce que la betterave.
8. congnoissoyt mousches en laict : distinguait le noir du blanc.
9. faisoyt perdre les pieds au mousches : l'expression peut aussi se comprendre dans son sens figuré ; on dirait aujourd'hui « couper les cheveux en quatre ».
10. Guaignoyt au pied : reculer devant l'ennemi ; ici, se dérober systématiquement.

blanc le premier, ferrait les cigales, se chatouillait pour se faire rire, se précipitait fort bien en cuisine, offrait de la paille aux

25 dieux, faisait chanter *Magnificat* à matines et trouvait ça fort bien, mangeait des choux et chiait de la poirée, distinguait les mouches dans le lait, faisait perdre pied aux mouches, ratissait le papier, griffonnait le parchemin, prenait ses jambes à son cou, buvait comme un trou, comptait sans son hôte, battait les buis-

30 sons sans prendre les oisillons, prenaient les nues pour des dais d'airain et les vessies pour des lanternes, avait plus d'un tour dans son sac, faisait l'âne pour avoir du son, faisait un maillet de son poing, prenait les grues au premier saut, voulait qu'on fît point par point les cottes de mailles, à cheval donné regardait

35 toujours la bouche, sautait du coq à l'âne, donnait un tiers de mûrs pour deux tiers de verts, mettait la terre dans le fossé, gardait la lune des loups, espérait prendre les alouettes si le ciel tombait, faisait de nécessité vertu, faisait contre mauvaise fortune bon cœur, se souciait des pelés comme des tondus, vomis-

40 sait tous les matins. Les petits chiens de son père mangeaient dans son écuelle ; lui de même mangeait avec eux. Il leur mordait les oreilles, ils lui griffaient le nez, il leur soufflait au cul, ils lui léchaient les badigoinces. […]

---

notes

11. Tiroyt au chevrotin : boire dans une gourde en peau de chèvre ; l'expression signifie ici : boire goulûment.
12. comptoyt sans son houste : partait sans payer (avant que son hôte ait fait l'addition).
13. Croioyt […] d'arain : prenait les nuages pour des dais (plafond, toit) d'airain (bronze).
14. Tiroyt d'un sac deux moustures : la mouture désigne d'abord le salaire du meunier ; l'expression signifie faire double profit, donc, plus généralement, avoir plus d'un tour dans son sac.
15. bren : son ou excréments.
16. grues : grands oiseaux.
17. haubergeons : chemises de maille, sans manche, qui étaient nécessairement fabriquées « maille à maille ».

18. De cheval […] la gueule : il n'était pas correct de regarder les dents d'un cheval reçu en cadeau pour déterminer son âge.
19. Mettoyt […] une meure : mélanger des fruits mûrs et des fruits verts, c'est-à-dire de la douceur et de l'amertume.
20. Gardoyt la lune des loups : mettait la lune à l'abri des loups car ceux-ci hurlent à la lune.
21. Si les nues […] les alouettes : référence au proverbe « espérer que les alouettes tomberont toutes rôties », donc ne rien faire.
22. souppe : tranche de pain que l'on arrosait d'un liquide chaud (bouillon ou vin).
23. Se soucioyt […] des tonduz : il n'y a aucune différence entre les rasés (raitz) et les tondus.
24. les badigoinces : les lèvres.

Comment Grandgousier congneut l'esperit merveilleux de Gargantua à l'invention d'un torchecul

[Chapitre 13]

De retour de guerre, Grandgousier rend visite à son fils. Lorsqu'il l'interroge sur son hygiène, Gargantua lui répond « qu'il n'y a pas dans le pays de garçon plus propre que lui ».

[…] Comment cela ? dist Grandgousier.

– J'ay (respondit Gargantua) par longue et curieuse experience inventé un moyen de me torcher le cul, le plus seigneurial, le plus excellent, le plus expedient que jamais feut veu.

5 – Quel ? dict Grandgousier.

– Comme vous le raconteray (dist Gargantua) presentement.

« Je me torchay une foys d'un cachelet de velours de une damoiselle, et le trouvay bon : car la mollice de sa soye me causoit au fondement[1] une volupté bien grande.

10 « Une autre foys d'un chapron[2] d'ycelles, et feut de mesmes. […]

« Puis, fiantant[3] derriere un buisson, trouvay un chat de Mars[4], d'icelluy me torchay, mais ses gryphes me exulcererent tout le perinée[5].

« De ce me gueryz au lendemain, me torchant des guands de ma mere, bien parfumez de maujoin[6].

15 « Puis me torchay de saulge, de fenoil, de aneth, de marjolaine, de roses, de fueilles de courles, de choulx, de bettes[7], de pampre, de guymaulves, de verbasce[8] (qui est escarlatte de cul), de lactues

1. fondement : sens figuré du mot pour désigner les fesses.
2. chapron : coiffe que portaient les hommes et les femmes au Moyen Âge.

3. fiantant : déféquant (terme qui s'employait à propos des animaux).
4. un chat de Mars : un chat né au printemps, autant dire très vigoureux.

Comment Grandgousier découvrit, à l'invention d'un torche-cul, la merveilleuse intelligence de Gargantua

[Chapitre 13]

[…] « Comment cela ? dit Grandgousier. – J'ai découvert, répondit Gargantua, après de longues et soigneuses recherches, un moyen de me torcher le cul qui est le plus noble, le meilleur, le plus commode qu'on ait jamais vu. – Lequel ? dit Grand-
5 gousier. – C'est ce que je vais vous raconter tout de suite, dit Gargantua.

« Je me suis torché une fois avec le cache-nez de velours d'une demoiselle, ce que je trouvai bon, car la douceur de la soie me procura au fondement une volupté bien grande, une autre avec
10 le chaperon de la même, et ce fut tout pareil. […].

« Puis, tandis que je fientais derrière un buisson je trouvai un chat de mars et m'en torchai, mais ses griffes me déchirèrent tout le périnée.

Ce dont je me guéris le lendemain en me torchant avec les
15 gants de ma mère, bien parfumés de maujoin.

« Puis je me torchai avec de la sauge, du fenouil, de l'aneth, de la marjolaine, des roses, des feuilles de courges, de choux, de bettes, de vigne, de guimauve, de bouillon-blanc (c'est l'écarlate

notes

5. perinée : partie du corps humain qui s'étend entre l'anus et les parties génitales.
6. maujoin : terme formé sur le mot mal joint qui désigne le sexe de la femme.
7. bettes : ancêtre de la betterave.

8. verbasce : plante dont les feuilles recouvertes d'un duvet cotonneux étaient employées en médecine et dont on pouvait se servir occasionnellement pour fouetter les enfants.

et de fueilles de espinards, – le tout me feist grand bien à ma jambe, – de mercuriale[1], de persiguire[2], de orties, de consolde[3]; mais j'en 20 eu la cacquesangue[4] de Lombard. Dont feu gary me torchant de ma braguette.

« Puis me torchay aux linceux, à la couverture, aux rideaulx, d'un coissin, d'un tapiz, d'un verd[5], d'une mappe[6], d'une serviette, d'un mouschenez, d'un peignouoir. En tout je trouvay de plaisir plus que 25 ne ont les roigneux quand on les estrille[7].

– Voyre mais (dist Grandgousier) lequel torchecul trouvas tu meilleur ?

– Je y estois (dist Gargantua) et bien toust en sçaurez le *tu autem*. Je me torchay de foin, de paille, de bauduffe[8], de bourre[9], de laine, 30 de papier. Mais

Tousjours laisse aux couillons esmorche[10]
Qui son hord cul de papier torche.

– Quoy ! (dist Grandgousier) mon petit couillon, as tu prins au pot[11] : veu que tu rimes desjà ? 35 – Ouy dea (respondit Gargantua) mon roy, je rime tant et plus, et en rimant souvent m'enrime[12]. Escoutez que dict nostre retraict aux fianteurs,

Chiart,
Foirart,
40 Petart,
Brenous[13],
Ton lard
Chappart

1. mercuriale : mauvaise herbe, dont le miel était utilisé comme laxatif.
2. persiguire : plante d'ornement, à fleurs roses, rouges ou blanches.
3. consolde : herbe haute, qui était utilisée en médecine, pour guérir de la diarrhée.

4. cacquesangue : terme dérivé de l'italien, et synonyme de dysenterie, fréquente chez les soldats français en Lombardie.
5. verd : ancienne orthographe de vert; désigne ici par métonymie un tapis de jeu.
6. mappe : torchon pour essuyer la poussière.

au cul), de laitues et de feuilles d'épinards (tout ça m'a fait une
20 belle jambe!), avec de la mercuriale, de la persicaire, des orties,
de la consoude ; mais j'en attrapai une diarrhée de Lombard, ce
dont je fus guéri en me torchant avec ma braguette.

« Puis je me torchai avec les draps, les couvertures, les rideaux,
avec un coussin, une carpette, un tapis de jeu, un torchon, une
25 serviette, un mouchoir, un peignoir. Avec tout cela j'ai eu plus de
plaisir que n'en ont les galeux quand on les étrille.

– Oui mais, dit Grandgousier, quel torche-cul as-tu trouvé le
meilleur ?

– J'y arrivais, dit Gargantua, vous allez en savoir bientôt le fin
30 mot. Je me torchai avec du foin, de la paille, de l'étoupe, de la
bourre, de la laine, du papier. Mais

Toujours laisse aux couilles une amorce
Qui son cul sale de papier torche.

– Quoi, dit Grandgousier mon petit couillon, as-tu bu au pot,
35 vu que tu rimes déjà ?

– Oui-da mon roi, répondit Gargantua, je rime tant et plus, et
en rimant souvent je m'enrhume. Écoutez ce que disent aux
fienteurs les murs de nos cabinets :

Chieur
40 Foireux
Péteur
Breneux
Ton lard
Qui s'échappe

7. estrille : sorte de racloir en fer avec lequel il était fort peu plaisant d'être nettoyé, *a fortiori* pour des « roigneux », personnes atteintes de la gale.
8. bauduffe : morceau de textile grossier.
9. bourre : déchet de la laine.
10. esmorche : ici, des restes d'excréments.

11. prins au pot : bu du vin (souvent source d'inspiration pour les poètes).
12. en rimant souvent m'enrime : allusion à la « petite épître au roi » du poète Clément Marot (1532) : « *Et en rimant, bien souvent je m'enrime.* »
13. Brenous : souillés d'excréments.

S'espart
45 Sus nous.
Hordous,
Merdous,
Esgous,
Le feu de sainct Antoine[1] te ard,
50 Sy tous
Tes trous
Esclous
Tu ne torche avant ton départ !

En voulez vous dadventaige ?
55 – Ouy dea, respondit Grandgousier.
– Adoncq dist Gargantua :

RONDEAU.[2]

En chiant l'aultre hyer senty
La guabelle[3] que à mon cul doibs,
60 L'odeur feu aultre que cuydois :
J'en feuz du tout empuanty.
O ! si quelc'un eust consenty
M'amener une que attendoys
En chiant !

65 Car je luy eusse assimenty
Son trou d'urine à mon lourdoys[4],
Cependant eust avec ses doigtz
Mon trou de merde guarenty.
En chiant.

notes

1. **le feu de sainct Antoine :** empoisonnement provoqué par la consommation de seigle avarié.
2. **rondeau :** le terme désigne d'abord une danse en rond, puis un petit poème à forme fixe, sur deux rimes ; cette forme poétique est très utilisée par le poète Clément Marot, dans ses écrits de jeunesse ; le refrain du rondeau « en chiant » fait écho au refrain d'un rondeau de Marot, « en languissant ».

45 Se répand
Sur nous
Répugnant
Merdeux
Dégouttant
50 Puisse le feu Saint-Antoine te brûler
Si tous
Tes trous
Béants
Tu ne torches avant de partir.

55 — En voulez-vous davantage ?
— Oui-da, répondit Grandgousier.
— Alors allons-y, dit Gargantua.

RONDEAU

En chiant l'autre jour j'ai flairé
60 L'impôt que je dois à mon cul.
L'odeur fut autre que je ne m'y attendais
J'en fus tout empuanti.
Oh ! si l'on avait consenti
À m'amener celle que j'attendais
65 En chiant.

Car je lui aurais accommodé
Son trou d'urine à mon lourdaud
Pendant ce temps elle aurait avec ses doigts
Protégé mon trou de merde.
70 En chiant.

---

notes

3. guabelle : impôt qui consistait en une taxe sur toutes denrées (le sel notamment).

4. à mon lourdoys : à ma manière (jeu de mots sur lourd doigt).

70   Or dictes maintenant que je n'y sçay rien ! Par la mer Dé[1], je ne les ay faict mie. Mais les oyant reciter à dame grand que voyez cy, les ay retenu en la gibbesiere[2] de ma memoire.

     – Retournons (dist Grandgousier) à nostre propos.

     – Quel ? (dist Gargantua) chier ?

75   – Non (dist Grandgousier). Mais torcher le cul.

     – Mais (dist Gargantua) voulez vous payer un bussart de vin Breton[3] si je vous foys quinault[4] en ce propos ?

     – Ouy vrayement, dist Grandgousier.

     – Il n'est (dist Gargantua) poinct besoing torcher cul, sinon qu'il

80 y ayt ordure. Ordure n'y peut estre si on n'a chié : chier doncques nous fault davant que le cul torcher[5].

     – O (dist Grandgousier) que tu as bon sens petit guarsonnet ! Ces premiers jours je te feray passer docteur en gaie science[6], par Dieu, car tu as de raison plus que d'aage. Or poursuiz ce propos torche-

85 culatif, je t'en prie. Et, par ma barbe pour un bussart tu auras soixante pippes[7], j'entends de ce bon vin Breton, lequel poinct ne croist en Bretaigne, mais en ce bon pays de Verron[8].

     – Je me torchay après (dist Guargantua) d'un couvre chief, d'un aureiller, d'ugne pantophle, d'ugne gibbessiere, d'un panier. Mais

90 ô le mal plaisant torchecul ! Puis d'un chappeau. [...]

     « Puis me torchay d'une poulle, d'un coq, d'un poulet, de la peau d'un veau, d'un lievre, d'un pigeon, d'un cormoran[9], d'un sac d'advocat, d'une barbute, d'une coyphe, d'un leurre[10].

     « Mais concluent je dys et maintiens, qu'il n'y a tel torchecul que

95 d'un oyzon bien dumeté, pourveu qu'on luy tienne la teste entre

---

notes

1. Par la mer Dé : par la mère de Dieu (Rabelais joue sur l'homophonie avec le mot « merde »).
2. gibbesiere : sac dont se servent les chasseurs.
3. un bussart de vin Breton : le bussart est une barrique de 270 litres environ ; le vin breton est un vin rouge de Touraine.

4. si je vous foys quinault : faire quinault quelqu'un signifie le rendre penaud, confus.
5. chier doncques nous fault davant que le cul torcher : la forme de raisonnement utilisée par Gargantua est un syllogisme. Fréquemment utilisé par les théologiens de la Sorbonne, le raisonnement se compose en trois parties : une proposition majeure, une mineure, et une conclusion.

Et maintenant dites que je n'y connais rien ! par la mère de Dieu, ce n'est pas moi qui ai fait ces vers, mais les ayant entendus réciter à ma grand-mère que vous voyez là, je les ai retenus dans la gibecière de ma mémoire.

75 — Revenons à notre propos, dit Grandgousier.

— Lequel, dit Gargantua, chier ?

— Non, dit Grandgousier, mais se torcher le cul.

— Mais, dit Gargantua, voulez-vous payer une barrique de vin breton si, à ce propos, je vous dame le pion ?

80 — Oui, bien sûr, dit Grandgousier.

— Il n'est pas besoin de se torcher le cul s'il n'y a pas de saletés, dit Gargantua. Il ne peut y avoir de saletés si on n'a pas chié : il nous faut donc chier avant que de nous torcher le cul.

— Oh ! dit Grandgousier, que tu es plein de bon sens mon

85 petit bonhomme ! Un de ces jours, je te ferai passer docteur en gai savoir, par Dieu ! Car tu as plus de raison que d'années. Poursuis donc ce propos torcheculatif, je t'en prie. Et par ma barbe, au lieu d'une barrique, c'est soixante tonneaux que tu auras, je veux dire de ce bon vin breton qui d'ailleurs ne vient

90 pas en Bretagne, mais dans ce bon pays de Véron.

« Après, je me torchai, dit Gargantua, avec un couvre- chef, un oreiller, une pantoufle, une gibecière, un panier (mais quel désagréable torche-cul !), puis avec un chapeau. [...]

« Puis je me torchai avec une poule, un coq, un poulet, la peau

95 d'un veau, un lièvre, un pigeon, un cormoran, un sac d'avocat, une cagoule, une coiffe, un leurre. Mais, pour conclure, je dis et je maintiens qu'il n'y a pas de meilleur torche-cul qu'un oison

notes

6. docteur en gaie science : Rabelais a supprimé l'expression « docteur en Sorbonne » qui figurait initialement dans le texte (par crainte de la censure), pour la remplacer par le titre de docteur en gaie science, décerné par l'académie de Toulouse à celui qui remportait ses tournois de poésie.

7. soixante pippes : ancienne mesure de capacité, équivalant à 400 litres.
8. ce bon pays de Verron : région au confluent de la Loire et de la Vienne.
9. cormoran : oiseau des mers (littéralement : corbeau de mer).
10. leurre : faux oiseau de cuir que le chasseur montre aux faucons pour les attirer.

les jambes. Et m'en croyez sus mon honneur. Car vous sentez au trou du cul une volupté mirificque[1], tant par la doulceur d'icelluy dumet, que par la chaleur temperée de l'oizon, laquelle facilement est communicquée au boyau culier et aultres intestines, jusques à

100 venir à la region du cueur et du cerveau. Et ne pensez que la beatitude des heroes et semi dieux, qui sont par les Champs Elysiens[2], soit en leur Asphodele[3], ou Ambrosie, ou Nectar[4], comme disent ces vieilles ycy. Elle est (scelon mon opinion) en ce qu'ilz se torchent le cul d'un oyzon. Et telle est l'opinion de Maistre Jehan d'Escosse[5]. »

notes

1. mirificque : merveilleuse, étonnante.
2. Champs Elysiens : dans la mythologie grecque, séjour des Bienheureux.
3. Asphodele : plante médicinale.
4. Ambrosie, ou Nectar : boissons des dieux, dans la mythologie grecque.

5. Maistre Jehan d'Escosse : désigne ici Dun Scot, philosophe scolastique, déjà évoqué au chapitre VII. Ce dernier n'a jamais, bien sûr, soutenu une telle opinion !

bien duveteux, pourvu qu'on lui tienne la tête entre les jambes.
Croyez-m'en sur l'honneur. Vous sentez alors au trou du cul une
100   volupté mirifique, tant à cause de la douceur de son duvet qu'à
cause de la douce chaleur de l'oison, qui se communique facilement au boyau culier et au reste des intestins, jusqu'à la région
du cœur et du cerveau. Ne croyez pas que la béatitude des héros
et des demi-dieux qui sont aux Champs Élysées vienne de leur
105   asphodèle, de leur ambroisie, ou de leur nectar, comme le disent
nos vieilles. Elle vient (c'est mon opinion) de ce qu'ils se torchent le cul avec un oison, et c'est aussi l'opinion de maître Jean
d'Écosse. »

La Fontaine de R. Mutt, Marcel Duchamp, 1917. L'art de Duchamp consiste ici, non sans provocation, à détourner un objet quotidien (un urinoir en l'occurrence) de sa fonction première, de son contexte. Ainsi, de même que Duchamp transforme de tels objets en objet d'art, Gargantua transforme tous les objets qui l'entourent en torche-cul !

Gargantua, assis entre les tours de Notre-Dame, urine sur les Parisiens, illustration de Gustave Doré pour le *Gargantua*.

S'émerveillant de l'intelligence de son fils, Grandgousier décide de confier son éducation à un grand maître sophiste tout d'abord puis, finalement, à Ponocratès. Gargantua est envoyé à Paris : il s'y rend avec sa jument « grande comme six éléphants ». Mais, alors qu'il se repose sur les tours de Notre-Dame, urinant sur quelques centaines de milliers de Parisiens, il s'empare, à la grande colère des habitants, des cloches de la cathédrale pour les mettre autour du cou de sa jument. Maître Janotus, théologien réputé pour ses talents d'orateur, doit alors le convaincre de les rendre. Mais au moment crucial, celui-ci est totalement ivre.

[...]

« Ça je vous prouve que me les doibvez bailler. *Ego sic argumentor*[1] :

« *Omnis clocha clochabilis in clocherio clochando clochans clochativo clochare facit clochabiliter clochantes. Parisius habet clochas*[2]. *Ergo gluc*[3]. Ha, ha, ha. C'est parlé cela. Il est *in tertio prime*, en *Darii*[4]

5   ou ailleurs. Par mon ame, j'ay veu le temps que je faisois diables de arguer[5]. Mais de present je ne fais plus que resver. Et ne me fault

1. *sic argumentor :* reprise d'une formule utilisée par les théologiens lors de leur démonstration.
2. *clochas :* terme inventé par Rabelais ; au cours de son plaidoyer, maître Janotus ne respecte absolument pas les règles de la syntaxe latine.

3. *Ergo gluc :* expression utilisée à l'époque par les étudiants parisiens pour évoquer une conclusion absurde.
4. *in tertio prime,* en *Darii :* termes qui désignent la troisième étape d'un syllogisme.
5. je faisois diables de arguer : je faisais des démonstrations exceptionnelles.

Comment Janotus de Bragmardo fut envoyé auprès de Gargantua pour récupérer les grosses cloches

[Chapitre 19]

[...]

« Là, je vais vous prouver que vous devez me les donner. Voici mon raisonnement : toute cloche clochable en clochant dans un clocher, clochant par le clochatif, fait clocher les clochants clochablement. Or Paris a des cloches. Donc, C.Q.F. D. Ah ! Ah ! Ah ! c'est parlé cela ! Mon syllogisme est dans le troisième mode de la première figure, dans la catégorie *Darii* ou dans une autre.

plus dorenavant que bon vin, bon lict, le dos au feu, le ventre à table et escuelle bien profonde.

10 « Hay, *Domine*, je vous pry, *in nomine Patris et Filii et Spiritus Sancti amen*, que vous rendez noz cloches : et Dieu vous guard de mal, et Nostre Dame de Santé[1], *qui vivit et regnat per omnia secula seculorum, amen*. Hen, hasch, ehasch, grenhenhasch !

« *Verum enim vero, quando quidem, dubio procul, edepol[2], quoniam, ita certe, meus Deus fidus*, une ville sans cloches est comme un 15 aveugle sans baston, un asne sans cropiere[3], et une vache sans cymbales. Jusques à ce que nous les ayez rendues, nous ne cesserons de crier apres vous, comme un aveugle qui a perdu son baston, de braisler comme un asne sans cropiere, et de bramer, comme une vache sans cymbales.

20 « Un quidam latinisateur[4] demourant près l'Hostel Dieu[5], dist une foys, allegant l'autorité d'ung Taponus (je faulx : c'estoit Pontanus[6], poete seculier), qu'il desiroit qu'elles feussent de plume et le batail feust d'une queue de renard : pource qu'elles luy engendroient la chronique[7] aux tripes du cerveau quand il composoit ses vers car-25 miniformes. Mais nac petitin petetac, ticque, torche, lorne, il feut declairé hereticque ; nous les faisons comme de cire. Et plus n'en dict le deposant[8]. *Valete et plaudite[9]. Calepinus recensui.* »

1. Nostre Dame de Santé : appellation sous laquelle la Sainte Vierge était vénérée dans le sud de la France.
2. *edepol* : par Pollux. Castor et Pollux étaient deux frères jumeaux ; enfants de Zeus, ils étaient révérés comme symbole de la vertu guerrière et de la solidarité fraternelle.
3. cropiere : longe de cuir que l'on passe sous la queue d'un cheval.
4. Un quidam latinisateur : un certain spécialiste de latin.

5. l'Hostel Dieu : hôpital situé tout près de Notre-Dame, à Paris.
6. Pontanus : auteur humaniste italien du xve siècle, qui avait confessé son horreur des cloches.
7. engendroient la chronique : calembour qui sous-entend « qui engendraient la colique ».
8. plus n'en dict le deposant : formule empruntée au style judiciaire.
9. *Valete et plaudite* : « portez-vous bien et applaudissez ». C'est par cette formule que s'achevaient les comédies.

Par mon âme, j'ai vu le temps où je faisais des merveilles en fait d'argumentation. Mais à présent, je ne fais plus que radoter et tout ce qu'il me faut désormais c'est bon vin, bon lit, le dos au feu, le ventre à table, et une écuelle bien profonde. Ah ! seigneur, je vous en prie, au nom du Père, du Fils et du Saint-Esprit, ainsi soit-il, rendez-nous nos cloches et que Dieu vous garde de mal et Notre-Dame de Santé, qui vit et règne dans tous les siècles des siècles, ainsi soit-il. Hum, eh ! atc, atch, greuh-hum-atch !

« Mais en vérité, étant donné que, sans doute, par Pollux, puisque, ainsi du moins, mon Dieu, sur ma foi, une ville sans cloches est comme un aveugle sans bâton, un âne sans croupière, et une vache sans sonnailles, nous ne cesserons de crier après vous comme un aveugle qui a perdu son bâton, de braire comme un âne sans croupière et de beugler comme une vache sans sonnailles. Un quidam latiniseur, demeurant près de l'Hôtel-Dieu, a dit un beau jour, alléguant l'autorité d'un certain Taponnus (je me trompe, c'est Pontanus que je voulais dire, le poète profane), qu'il désirait qu'elles fussent en plume, avec un battant en queue de renard, parce qu'elles lui donnaient la colique aux tripes du cerveau quand il composait ses vers poésiformes. Mais nac petetin petetac, ticque, torche, lorgne, il a été déclaré hérétique : nous les façonnons comme figures de cire. Le déposant n'a plus rien à dire. La comédie est finie. Achevé d'imprimer. »

L'estude de Gargantua, selon la discipline de ses precepteurs sophistes

[Chapitre 21]

Ayant restitué les cloches de Notre-Dame, Gargantua fait part à son maître Ponocratès de son désir d'étudier. Pourtant, plutôt que de le changer, le précepteur préfère, dans un premier temps, constater les négligences que produit le mode de vie de son élève.

[...] Il dispensoit doncques son temps en telle façon, que ordinairement il s'esveilloit entre huyt et neuf heures, feust jour ou non, ainsi l'avoient ordonné ses regens antiques, alleguans ce que dict David : *Vanum est vobis ante lucem surgere*[1].

5 Puis se guambayoit, penadoit et paillardoit parmy le lict quelque temps, pour mieulx esbaudir ses esperitz animaulx[2], et se habiloit selon la saison, mais voluntiers portoit il une grande et longue robbe de grosse frize[3] fourrée de renards ; après se peignoit du peigne de Almain[4], c'estoit des quatre doigtz et le poulce. Car ses precepteurs

10 disoient que soy aultrement pigner, laver et nettoyer estoit perdre temps en ce monde.

Puis fiantoit, pissoyt, rendoyt sa gorge[5], rottoit, pettoyt, baisloyt, crachoyt, toussoyt, sangloutoyt, esturnuoit, et se morvoyt en archidiacre[6], et desjeunoyt pour abatre la rouzée et maulvais aer : belles

---

notes

1. Vanum [...] surgere : citation d'un psaume de l'Ancien Testament, dans lequel David dit qu'il est vain de se lever avant la lumière, car Dieu « en donne autant à ses bien-aimés pendant leur sommeil ». Autrement dit, les théologiens détournent le sens du psaume pour justifier leurs mauvaises méthodes.
2. esperitz animaulx : liquide qui, selon la médecine de l'époque, se propageait, depuis le cœur et le cerveau, dans tout l'organisme, pour y maintenir l'énergie vitale.

L'étude de Gargantua selon les méthodes de ses précepteurs sophistes

[Chapitre 21]

[...] Il employait son temps de telle sorte qu'il s'éveillait habituellement entre huit et neuf heures, qu'il fît jour ou non ; ses maîtres, les théologiens, en avaient décidé ainsi, alléguant les paroles de David : « Il est vain de se lever avant la lumière. »

5   Puis il gambadait, faisait des sauts, et se vautrait un moment sur son lit pour mieux réveiller ses esprits animaux. Il s'habillait selon la saison, mais portait volontiers une grande robe longue de laine épaisse, fourrée de renards ; après, il se peignait avec le peigne d'Almain, c'est-à-dire avec les quatre doigts et le pouce,

10   car ses précepteurs disaient que se peigner, se laver et se nettoyer autrement c'était perdre son temps en ce monde.

    Puis il fientait, pissait, se raclait la gorge, rotait, pétait, bâillait, crachait, toussait, sanglotait, éternuait et se mouchait comme un archidiacre, et pour abattre la rosée et le mauvais air, il déjeunait

notes

3. frize : étoffe de laine grossière.
4. peigne de Almain : Jacques Almain était un théologien du début du XVIe siècle ; Rabelais joue ici sur les mots pour laisser entendre que Gargantua se peignait avec les doigts de la main.

5. rendoyt sa gorge : vomissait.
6. se morvoyt en archidiacre : expression populaire pour dire se moucher dans ses doigts ; l'archidiacre est un dignitaire ecclésiastique.

15 tripes, frites, belles charbonnades, beaulx jambons, belles cabiro-
tades, et force soupes de prime[1].

Ponocrates luy remonstroit, que tant soubdain ne debvoit repaistre
au parti du lict, sans avoir premierement faict quelque exercice.
Gargantua respondit :

20 « Quoy : n'ay je faict suffisant exercice ? je me suis vaultré six ou
sept tours parmy le lict davant que me lever. Ne est ce assez ? Le
pape Alexandre[2] ainsi faisoit, par le conseil de son medicin Juif, et
vesquit jusques à la mort en despit des envieux : mes premiers
maistres me y ont accoustumé, disans que le desjeuner faisoit bonne
25 memoire, pourtant y beuvoient les premiers. Je m'en trouve fort
bien et n'en disne que mieulx.

Et me disoit Maistre Tubal (qui feut premier de sa licence à Paris)
que ce n'est tout l'advantaige de courir bien toust, mais bien de
partir de bonne heure : aussi n'est ce la santé totale de nostre huma-
30 nité boyre à tas, à tas, à tas, comme canes, mais ouy bien de boyre
matin. *Unde versus.*

> Lever matin n'est poinct bon heur ;
> Boire matin est le meilleur[3]. »

[...]
Puis estudioit quelque meschante demye heure, les yeulx assis
35 dessus son livre ; mais (comme dict le comicque) son ame estoit en
la cuysine. [...]

15 de belles tripes frites, de belles grillades, de beaux jambons, de beaux sautés de chevreau et d'une quantité de tranches de pain matinales. Ponocratès lui faisant observer qu'il ne devait pas en engouffrer tant juste au sortir du lit sans avoir pris d'abord un peu d'exercice, Gargantua répondit :

20 « Quoi ? N'ai-je pas fait suffisamment d'exercice ? Je me suis retourné six ou sept fois dans mon lit avant de me lever. N'est-ce pas assez ? C'est ce que faisait le pape Alexandre, sur les conseils de son médecin juif, et il vécut jusqu'à sa mort en dépit des envieux. Mes premiers maîtres m'y ont habitué, disant que

25 le déjeuner donnait bonne mémoire. Aussi étaient-ils les premiers à boire. Je m'en trouve fort bien et n'en dîne que mieux. Et maître Thubal (qui fut le premier de sa licence à Paris) disait que ce n'est pas le tout de courir bien vite, et qu'il vaut mieux partir de bonne heure. Aussi la santé parfaite de notre humanité,

30 ce n'est pas de boire des tas, des tas, des tas, comme les canes, mais bien de boire le matin ; d'où le dicton :

> Lever matin n'est pas bonheur ;
> Boire matin est bien meilleur.

[...]

Puis il étudiait durant une méchante demi-heure, les yeux
35 fixés sur son livre, mais, comme dit le poète comique, son esprit était à la cuisine. [...]

Comment Gargantua feut institué par Ponocrates en telle discipline, qu'il ne perdoit heure du jour

Quand Ponocrates congneut la vitieuse maniere de vivre de Gargantua, delibera aultrement le instituer en lettres[1], mais pour les premiers jours le tolera: considerant que Nature ne endure mutations soubdaines sans grande violence.

5 Pour doncques mieulx son œuvre commencer, supplia un sçavant medicin de celluy temps, nommé Maistre Theodore[2], à ce qu'il considerast si possible estoit remettre Gargantua en meilleure voye. Lequel le purgea[3] canonicquement avec elebore de Anticyre[4], et par ce medicament luy nettoya toute l'alteration[5] et perverse habitude du cerveau. Par ce moyen aussi Ponocrates luy feist oublier tout ce qu'il avoit appris soubz ses antiques precepteurs, comme faisoit Timothé[6] à ses disciples qui avoient esté instruictz soubz aultres musiciens.

Pour mieulx ce faire, l'introduisoit es compaignies des gens sçavans, que là estoient, à l'emulation desquelz luy creust l'esperit et le desir de estudier aultrement et se faire valoir.

Apres un tel train d'estude le mist qu'il ne perdoit heure quelconques du jour : ains tout son temps consommoit en lettres et honeste[7] sçavoir.

Se esveilloit doncques Gargantua environ quatre heures du matin.

20 Ce pendent qu'on le frotoit, luy estoit leue quelque pagine de la

notes

1. **instituer en lettres**: former par l'apprentissage des belles-lettres (littérature grecque et latine).
2. **Theodore**: prénom dérivé du grec, qui signifie littéralement «don de Dieu».
3. **purgea**: débarrassa de ses éléments impurs.
4. **elebore de Anticyre**: remède fameux au XVIe siècle, censé guérir de la folie.
5. **alteration**: dégradation de la santé.

Comment Gargantua fut formé selon les méthodes de Ponocratès de telle façon qu'il ne perdait pas une heure de la journée

[Chapitre 23]

Quand Ponocratès connut le mode de vie aberrant de Gargantua, il décida de le former tout autrement aux belles-lettres ; mais pour les premiers jours, il laissa faire, considérant que la nature ne subit pas de mutations soudaines sans grande violence.

5 Alors, pour mieux commencer sa tâche, il supplia un savant médecin de ce temps-là, nommé maître Théodore, d'envisager s'il était possible de remettre Gargantua en meilleure voie. Celui-là le purgea selon les règles avec de l'ellébore d'Anticyre et, grâce à ce médicament, lui nettoya le cerveau de tout vice et

10 de toute fâcheuse habitude. Et de cette façon, Ponocratès lui fit oublier tout ce qu'il avait appris avec ses anciens précepteurs, comme faisait Timothée avec ceux de ses disciples qui avaient été formés par d'autres musiciens.

Pour mieux y parvenir, il l'introduisit dans des cercles de

15 savants qui se trouvaient là ; le souci de rivaliser avec eux lui développa l'esprit et lui donna le désir d'étudier différemment et de se montrer à son avantage.

Puis il le soumit à un rythme de travail tel qu'il ne perdait pas une heure de la journée, mais consacrait au contraire tout son

notes

6. Timothé : poète lyrique grec du Vᵉ siècle av. J.-C., connu pour avoir créé un nouveau style musical en ajoutant des cordes à sa lyre. | **7. honeste :** dans son sens étymologique d'*honestus*, signifie noble.

divine Escripture haultement et clerement, avec pronunciation competente à la matiere[1], et à ce estoit commis un jeune paige, natif de Basché[2], nommé Anagnostes[3]. Selon le propos et argument[4] de ceste leçon, souventesfoys se adonnoit à reverer, adorer, prier et
25 supplier le bon Dieu : duquel la lecture monstroit la majesté et jugemens merveilleux.

Puis alloit es lieux secretz faire excretion des digestions naturelles. Là son precepteur repetoit ce que avoit esté leu : luy exposant les poinctz plus obscurs et difficiles.

30 Eulx retornans, consideroient l'estat du ciel, si tel estoit comme l'avoient noté au soir precedent : et quelz signes entroit le soleil, aussi la lune, pour icelle journée.

Ce faict, estoit habillé, peigné, testonné, accoustré et parfumé, durant lequel temps on luy repetoit les leçons du jour d'avant. Luy
35 mesmes les disoit par cueur : et y fondoit quelque cas practicques et concernens l'estat humain, lesquelz ilz estendoient aulcunes foys jusques deux ou troys heures, mais ordinairement cessoient lors qu'il estoit du tout habillé.

Puis par troys bonnes heures luy estoit faicte lecture.

40 Ce faict, yssoient hors, tousjours conférens des propoz de la lecture : et se desportoient[5] en Bracque[6], ou es prez, et jouoient à la balle, à la paulme[7], à la pile trigone[8], galentement se exercens les corps comme ilz avoient les ames auparavant exercé.

Tout leur jeu n'estoit qu'en liberté, car ilz laissoient la partie
45 quant leur plaisoit, et cessoient ordinairement lors que suoient parmy le corps, ou estoient aultrement las. Adoncq estoient tres bien essuez, et frottez[9], changeoint de chemise : et doulcement se

1. pronunciation competente à la matiere : les humanistes et les partisans de la Réforme souhaitaient que les messes soient dites de façon claire et intelligible, et non pas marmonnées, comme ce pouvait être le cas lors de certains offices.

2. Basché : village situé près de Chinon, dans l'Indre-et-Loire.
3. Anagnostes : mot grec signifiant lecteur.
4. argument : dans son sens premier, le terme signifie matière à traiter, sujet ; ce terme est donc plus précis que celui de « propos ».

20 temps aux lettres et au noble savoir. Gargantua s'éveillait donc vers quatre heures du matin. Tandis qu'on le frictionnait, on lui lisait quelque page des saintes Écritures, à voix haute et claire, avec la prononciation convenable. Cet office était confié à un jeune page, originaire de Basché, nommé Anagnostes. Selon le
25 thème et le sujet du texte, il se mettait à révérer, adorer, prier et supplier à plusieurs reprises le bon Dieu, dont la lecture prouvait la majesté et les merveilleux jugements.

Puis il allait aux lieux secrets excréter le produit des digestions naturelles. Là, son précepteur répétait ce qu'on avait lu et lui
30 expliquait les points les plus obscurs et les plus difficiles. Quand ils revenaient, ils considéraient l'état du ciel, notant s'il était tel qu'ils l'avaient remarqué le soir précédent, et en quels signes entrait le soleil, et aussi la lune ce jour-là.

Cela fait, on l'habillait, on le peignait, on le coiffait, on l'ap-
35 prêtait, on le parfumait et pendant ce temps, on lui répétait les leçons du jour précédent. Lui-même les récitait par cœur et les confrontait avec quelques exemples pratiques concernant la vie humaine, ce qui leur prenait parfois deux ou trois heures, mais, d'ordinaire on s'arrêtait quand il était complètement habillé.
40 Ensuite pendant trois bonnes heures, on lui faisait la lecture.

Alors ils sortaient, en discutant toujours du sujet de la lecture et ils allaient se divertir au Grand Braque, ou dans les prés et jouaient à la balle, à la paume, à la pile en triangle, s'exerçant élégamment le corps comme ils s'étaient auparavant exercé l'es-
45 prit. Tous leurs jeux se faisaient en liberté, car ils abandonnaient la partie quand il leur plaisait, et ils s'arrêtaient d'ordinaire quand la sueur leur coulait sur le corps, ou qu'ils étaient autre-

notes

5. se desportoient: le verbe peut aussi bien signifier « se transporter » que « se divertir ».
6. Bracque: salle de jeu de paume située dans le quartier latin, à Paris.

7. paulme: le jeu de paume est l'ancêtre du tennis.
8. pile trigone: jeu de ballon qui se pratique avec trois joueurs disposés en triangle.
9. frottez: le terme désigne ici un massage.

pourmenans, alloient veoir sy le disner estoit prest. Là attendens,
recitoient clerement et eloquentement quelques sentences rete-
50 nues de la leçon.

Ce pendent Monsieur l'Appetit venoit, et par bonne opportunité
s'asseoient à table.

Au commencement du repas estoit leue quelque histoire plaisante
des anciennes prouesses[1] : jusques à ce qu'il eust prins son vin. Lors
55 (si bon sembloit) on continuoit la lecture, ou commenceoient à diviser joyeusement ensemble, parlans pour les premiers moys de la vertu,
proprieté, efficace et nature de tout ce que leur estoit servy à table.

[…] Ce faict on apportoit des chartes, non pour jouer, mais pour
y apprendre mille petites gentillesses[2], et inventions nouvelles.
60 Lesquelles toutes yssoient de arithmetique.

En ce moyen entra en affection de icelle science numerale, et tous
les jours apres disner et souper, y passoit temps aussi plaisantement
qu'il souloit[3] en dez ou es chartes. […]

Et non seulement d'icelle, mais des aultres sciences mathema-
65 ticques, comme Geometrie, Astronomie et Musicque. Car, attendens la concoction[4] et digestion de son past[5], ilz faisoient mille
joyeux instrumens et figures geometricques, et de mesmes prati-
quoient les canons astronomicques[6]. Apres, se esbaudissoient à
chanter musicalement à quatre et cinq parties, ou sus un theme à
70 plaisir de gorge.

Au reguard des instrumens de musicque, il aprint jouer du luc, de
l'espinette[7], de la harpe, de la flutte de Alemant[8] et à neuf trouz,
de la viole[9], et de la sacquebutte[10].

Ceste heure ainsi employée, la digestion parachevée, se purgoit
75 des excremens naturelz : puis se remettoit à son estude principal
par troys heures ou davantaige, tant à repeter la lecture matuti-

---

notes

1. anciennes prouesses : Rabelais fait ici référence aux romans de chevalerie du Moyen Âge.
2. gentillesses : divertissements nobles.

3. souloit : avait l'habitude de.
4. concoction : synonyme de digestion.
5. son past : son repas.

ment fatigués. Alors ils étaient très bien essuyés et frictionnés, ils changeaient de chemise, et allaient voir si le dîner était prêt en
50 se promenant doucement. Là, en attendant, ils récitaient à voix claire et avec éloquence quelques maximes retenues de la leçon.

Cependant Monsieur l'Appétit venait ; c'est au bon moment qu'ils s'asseyaient à table. Au commencement du repas, on lisait quelque histoire plaisante des anciennes prouesses jusqu'à ce qu'il
55 prît son vin. Alors, si on le jugeait bon, on continuait la lecture, ou ils commençaient à deviser joyeusement tous ensemble. Pendant les premiers mois ils parlaient de la vertu, de la propriété, des effets et de la nature de tout ce qui leur était servi à table.

[…] Là-dessus, on apportait des cartes, non pas pour jouer,
60 mais pour y apprendre mille petits jeux et inventions nouvelles qui tous découlaient de l'arithmétique. De cette façon, il prit goût à la science des nombres et tous les jours, après le dîner et le souper, il y passait son temps avec autant de plaisir qu'il en prenait d'habitude aux dés ou aux cartes. […]

65 Non seulement il fut versé dans cette science, mais aussi dans les autres sciences mathématiques, comme la géométrie, l'astronomie et la musique : car en attendant la concoction et la digestion de la nourriture, ils faisaient mille joyeux instruments et figures géométriques et de même ils apprenaient les lois astrono-
70 miques. Après ils s'amusaient à chanter à quatre ou cinq voix, avec un accompagnement musical et à faire des variations vocales sur un thème. Pour ce qui est des instruments de musique, il apprit à jouer du luth, de l'épinette, de la harpe, de la flûte traversière et de la flûte à neuf trous, de la viole et du trombone.

75 Cette heure ainsi employée, et sa digestion bien achevée, il se purgeait de ses excréments naturels, puis se remettait à son prin-

notes

6. **canons astronomicques** : les règles de l'astronomie.
7. **luc [...] espinette** : ancêtres du luth et du clavecin.

8. **flutte de Alemant** : la flûte traversière a été inventée en Allemagne.
9. **viole** : ancêtre du violon et du violoncelle.
10. **sacqueboutte** : trombone.

nale que à poursuyyre le livre entrepins, que aussi à escripre et bien traire et former les antiques et romaines lettres[1].

Ce faict yssoient hors leur hostel, avecques eulx un jeune gentil-
80 homme de Touraine, nommé l'escuyer Gymnaste, lequel luy mons-troit l'art de chevalerie. […]

Le temps ainsi employé, luy froté, nettoyé, et refraischy d'habil-lemens, tout doulcement retournoit, et, passans par quelques prez, ou aultres lieux herbuz, visitoient les arbres et plantes […].

85 Eulx arrivez au logis ce pendent qu'on aprestoit le souper repe-toient quelques passaiges de ce qu'avoit esté leu et s'asseoient à table.

Notez icy que son disner[2] estoit sobre et frugal, car tant seule-ment mangeoit pour refrener les haboys[3] de l'estomach, mais le
90 soupper estoit copieux et large. Car tant en prenoit que luy estoit de besoing à soy entretenir et nourrir. Ce que est la vraye diete prescripte par l'art de bonne et seure medicine, quoy qu'un tas de badaulx medicins, herselez[4] en l'officine[5] des sophistes, conseillent le contraire.

95 Durant icelluy repas estoit continuée la leçon du disner tant que bon sembloit; le reste estoit consommé en bons propous tous let-trez et utiles. […]

En pleine nuict davant que soy retirer, alloient au lieu de leur logis le plus descouvert veoir la face du ciel : et là notoient les cometes,
100 sy aulcunes estoient, les figures[6], situations, aspectz, oppositions et conjunctions[7] des astres.

Puis avec son precepteur recapituloit briefvement, à la mode des Pythagoricques, tout ce qu'il avoit leu, veu, sceu, faict et entendu au decours de toute la journée.

notes

1. **romaines lettres**: désignent les caractères italiens qui tendent alors à remplacer les caractères gothiques, utilisés au Moyen Âge.
2. **disner**: repas de midi.
3. **haboys**: besoins pressants.

4. **herselez**: harcelés.
5. **officine**: boutique, atelier; le terme est ici péjoratif pour évoquer une tradition médicale arabe que Rabelais récuse.
6. **figures**: formes, aspects extérieurs.

cipal objet d'étude trois heures durant ou davantage, tant pour répéter la lecture du matin que pour poursuivre le livre entrepris, et aussi écrire, bien tracer et former les lettres anciennes et
80 les caractères romains.

Cela fait, ils sortaient de leur demeure, accompagnés d'un jeune gentilhomme de Touraine, un écuyer nommé Gymnaste, qui enseignait au prince l'art de chevalerie. […]

Ayant ainsi employé son temps, frictionné, nettoyé, ses vête-
85 ments changés, Gargantua s'en revenait tout doucement ; quand ils passaient par quelques prés ou autres lieux herbus, ils examinaient les arbres et les plantes […].

Une fois arrivés au logis, ils répétaient, tandis qu'on apprêtait le souper, quelques passages de ce qui avait été lu et ils s'as-
90 seyaient à table. Remarquez que son dîner était sobre et frugal : il ne mangeait que pour réfréner les abois de son estomac, mais le souper était riche et copieux, car il prenait tout ce qui était nécessaire à son entretien et à sa nourriture. Tel est le vrai régime, celui que prescrit l'art de la bonne et sûre médecine,
95 bien qu'un tas de sots médecins, habitués à chicaner dans l'officine des sophistes, conseillent le contraire.

Pendant ce repas, on continuait la lecture du dîner, autant qu'on le jugeait bon : le reste se passait en bons propos, tous savants et utiles. […]
100 En pleine nuit, avant de se retirer, ils allaient à l'endroit le plus découvert du logis pour regarder l'aspect du ciel, et là ils remarquaient les comètes, s'il y en avait, les configurations, les situations, les positions, les oppositions et les conjonctions des astres.

Puis, avec son précepteur, Gargantua récapitulait brièvement,
105 à la façon des pythagoriciens, tout ce qu'il avait lu, vu, su, fait et entendu au cours de la journée entière.

notes
----

7. aspectz, oppositions et conjonctions : termes techniques utilisés en astronomie, désignant la position des astres les uns par rapport aux autres.

105   Si prioient Dieu le createur en l'adorant et ratifiant[1] leur foy envers
luy : et le glorifiant de sa bonté immense, et, luy rendant grace de
tout le temps passé, se recommandoient à sa divine clemence pour
tout l'advenir. Ce faict, entroient en leur repous.

note

| **1. ratifiant :** confirmant.

Chapitre 23

Alors ils priaient Dieu le créateur, en l'adorant et en confessant leur foi en lui, le glorifiant pour sa bonté immense. Ils lui rendaient grâce pour tout le temps écoulé et se recommandaient à sa divine clémence pour tout l'avenir.

Cela fait, ils allaient prendre leur repos.

Comment un moine de Seuillé[1] saulva le cloz[2] de l'abbaye du sac des ennemys

[Chapitre 27]

À la suite de la querelle qui les oppose aux bergers du pays de Gargantua, les marchands de galettes de Lerné, se sentant humiliés, se plaignent auprès de leur roi Picrochole. Celui-ci s'empresse alors d'envahir avec son armée les terres de Gargantua, n'hésitant pas à tout saccager sur son passage.

Tant feirent et tracasserent[3] pillant et larronnant[4], qu'ilz arriverent à Seuillé : et detrousserent[5] hommes et femmes, et prindrent ce qu'ilz peurent, rien ne leurs feut ne trop chault ne trop pesant. [...]

5 Le bourg ainsi pillé, se transporterent en l'abbaye avecques horrible tumulte, mais la trouverent bien reserrée et fermée [...].

En l'abbaye estoit pour lors un moine claustrier[6], nommé Frere Jean des Entommeures[7], jeune, guallant[8], frisque[9], de hayt[10], bien à dextre[11], hardy, adventureux, deliberé, hault, maigre, bien fendu de gueule[12],

10 bien advantagé en nez, beau despescheur d'heures[13], beau desbrideur de messes[14], beau descroteur de vigiles[15], pour tout dire som-

notes

1. Seuillé : petite bourgade de la région de Chinon, dont Rabelais est originaire.
2. cloz : terre de vignes close de murs.
3. tracasserent : s'agitèrent, se remuèrent pour de petites choses.
4. larronnant : verbe formé sur le substantif larron (brigand), synonyme de voler.
5. detrousserent : dépouillèrent quelqu'un de ce qu'il porte sur lui.

6. claustrier : vivant dans un cloître (enclos d'un monastère).
7. Entommeures : terme qui désigne du hachis ; frère Jean est ainsi celui qui réduit ses ennemis en hachis.
8. guallant : participe présent formé sur un verbe sorti d'usage, « galer », qui signifie s'amuser ; le terme, dans sa première acception, désigne un homme entreprenant avec les femmes.

Comment un moine de Seuilly sauva le clos de l'abbaye du sac des ennemis

[Chapitre 27]

À force de se démener, tout en pillant et maraudant, ils firent tant qu'ils arrivèrent à Seuilly ; ils y détroussèrent hommes et femmes et prirent ce qu'ils purent : rien ne leur était trop chaud, ni trop pesant. […]

5   Le bourg ainsi pillé, ils s'en allèrent vers l'abbaye dans un horrible tumulte, mais ils la trouvèrent bien verrouillée et bien close […].

Il y avait alors à l'abbaye un moine cloîtré nommé frère Jean des Entommeures, jeune, gaillard, pimpant, enjoué, adroit, hardi, entre-

10   prenant, décidé, grand, maigre, bien fendu de gueule, bien avantagé en nez, bel expéditeur d'heures, beau débrideur de messes, beau

notes

9. frisque : pimpant et vif d'allure.
10. de hayt : de bonne humeur.
11. dextre : dérivé du latin *dextra* (la main droite), l'adjectif désigne celui qui sait bien se servir de sa main droite, c'est-à-dire quelqu'un d'habile.
12. bien fendu de gueule : l'expression désigne une personne loquace et expansive ; on dirait aujourd'hui « une grande gueule ».

13. beau despescheur d'heures : expédiant à la hâte les heures de lecture du bréviaire sacré.
14. beau desbrideur de messes : disant ses messes à toute vitesse ; débrider signifie : lâcher la bride.
15. beau descroteur de vigiles : se débarrassant très rapidement des vigiles (offices célébrés à la veille d'une fête).

mairement vray moyne si oncques en feut depuys que le monde moynant moyna de moynerie[1]. Au reste : clerc[2] jusques ès dents en matiere de breviaire[3].

15 Icelluy entendent le bruyt que faisoyent les ennemys par le cloz de leur vine, sortit hors pour veoir ce qu'ilz faisoient. Et, advisant qu'ilz vendangeoient leur cloz auquel estoyt leur boyte[4] de tout l'an fondée, retourne au cueur[5] de l'eglise, où estoient les aultres moynes tous estonnez comme fondeurs de cloches[6], lesquelz voyant chanter *Ini*
20 *nim, pe, ne, ne, ne, ne, ne, ne, tum, ne, num, num, ini, i, mi, i, mi, co, o, ne, no, o, o, ne, no, ne, no, no, no, rum, ne, num, num*[7] : « C'est, dist il, bien bien chanté[8]. Vertus Dieu :

que ne chantez vous :

Adieu, paniers, vendanges sont faictes[9] ?

25 Je me donne au Diable, s'ilz ne sont en nostre cloz, et tant bien couppent et seps[10] et raisins, qu'il n'y aura par le corps Dieu de quatre années que halleboter[11] dedans. Ventre sainct Jacques ! que boyrons nous ce pendent, nous aultres pauvres diables ? Seigneur Dieu *da mihi potum*[12]. »
30 Lors dist le prieur[13] claustral :

« Que fera cest hyvrogne icy ? Qu'on me le mene en prison, troubler ainsi le service divin ?

– Mais (dist le moyne) le service du vin faisons tant qu'il ne soit troublé, car vous mesmes, Monsieur le Prieur, aymez boyre du meilleur. Sy
35 faict tout homme de bien. Jamais homme noble ne hayst le bon vin, c'est un apophthegme[14] monachal. Mais ces responds[15] que chantez ycy ne sont, par Dieu ! poinct de saison. […]

---

notes

1. depuys que le monde moynant moyna de moynerie : depuis que le monde des moines mena la vie des moines.
2. clerc : personne appartenant au clergé.
3. breviaire : livre de prescriptions par lesquelles l'Église loue Dieu chaque jour à certaines heures.
4. leur boyte : leur boisson.

5. cueur : partie de l'église où est placé l'autel autour duquel les clercs chantent la messe.
6. tous estonnez comme fondeurs de cloche : expression populaire pour désigner une grande stupéfaction.
7. *num* : Rabelais reproduit de façon modulée une formule latine du bréviaire :

décrotteur de vigiles, bref, pour tout dire un vrai moine s'il en fut jamais depuis que le monde moinant moina de moinerie, par ailleurs clerc jusqu'aux dents en matière de bréviaire.

15   En entendant le bruit que faisaient les ennemis dans le clos de leur vigne, il sortit pour voir ce qu'ils faisaient ; en s'apercevant qu'ils vendangeaient leur clos sur lequel reposait leur boisson pour toute l'année, il s'en retourne dans le chœur de l'église où étaient les autres moines, tous frappés de stupeur comme fon-

20   deurs de cloches, et quand il les vit chanter *ini, nim, pe, ne, ne, ne, ne, ne, ne, tum, ne, num, num, ini, i, mi, i, mi, co, o, ne, no, o, o, ne, no, ne, no, no, no, rum, ne, num, num.* « C'est bien bien chanté, dit-il. Vertu Dieu, que ne chantez-vous :

Adieu, paniers, vendanges sont faites ?

25   « Je me donne au diable s'ils ne sont en notre clos, à couper si bien ceps et raisins que, par le corps Dieu, il n'y aura rien à gra-piller dedans pendant quatre ans. Ventre saint Jacques ! que boi-rons-nous pendant ce temps-là, nous autres pauvres diables ? Seigneur Dieu, donne-moi à boire ! »

30   Alors le prieur claustral dit : « Que vient faire ici cet ivrogne ? Qu'on me le mène en prison. Troubler ainsi le service divin !

— Mais le service du vin, dit le moine, faisons en sorte qu'il ne soit pas troublé, car vous-même, monsieur le prieur, aimez à en boire, et du meilleur : ainsi fait tout homme de bien. Jamais un

35   homme noble ne hait le bon vin : c'est un précepte monacal.

---

notes

« *impetum inimicorum ne timueritis* » (« ne craignez pas l'élan des ennemis »).
8. bien bien chanté : bien mal chanté, chanté hors de propos.
9. vendanges sont faictes : refrain d'une chanson populaire de l'époque de Rabelais.
10. seps : pieds de vigne.
11. halleboter : grappiller (par référence aux grappes de raisin).

12. *da mihi potum* : Seigneur Dieu, donne-moi à boire ; c'est la formule latine par laquelle les clercs, après avoir terminé un ouvrage, réclamaient à boire.
13. prieur : supérieur d'un couvent.
14. apophthegme : précepte, sentence.
15. responds : chant exécuté alternative-ment par le chœur et par un soliste, dans les offices de l'Église catholique.

Ce disant mist bas son grand habit et se saisist du baston de la croix, qui estoyt de cueur de cormier[1] long comme une lance, rond
40 à plain poing et quelque peu semé de fleurs de lys, toutes presque effacées. Ainsi sortit en beau sayon[2], mist son froc[3] en escharpe. Et de son baston de la croix donna sy brusquement sus les ennemys, qui, sans ordre, ne enseigne, ne trompette, ne tabourin [...].

Si quelq'un se vouloyt cascher entre les sepes plus espès, à icelluy
45 freussoit toute l'areste du douz: et l'esrenoit[4] comme un chien.

Si aulcun saulver se vouloyt en fuyant, à icelluy faisoyt voler la teste en pieces par la commissure lambdoïde[5].

Si quelq'un gravoyt en une arbre, pensant y estre en seureté, icelluy de son baston empaloyt par le fondement.

50 Si quelqu'un de sa vieille congnoissance luy crioyt:

«Ha, Frere Jean, mon amy, Frere Jean, je me rend!

– Il t'est (disoyt il) bien force. Mais ensemble tu rendras l'ame à tous les diables.»

Et soubdain luy donnoit dronos[6]. [...]

55 Les uns cryoient: Saincte Barbe[7],

les aultres Sainct George[8],

les aultres Saincte Nytouche[9],

les aultres Nostre Dame de Cunault, de Laurette, de Bonnes-Nouvelles, de la Lenou, de Riviere[10].

60 les ungs se vouoyent à sainct Jacques[11].

les aultres au sainct suaire de Chambery, mais il brusla troys moys apres, si bien qu'on n'en peut saulver un seul brin.

les aultres à Cadouyn[12].

---

notes ....

1. **cormier**: bois très dur, utilisé pour la fabrication d'instruments résistants.
2. **sayon**: casaque grossière de paysan.
3. **froc**: habit du moine.
4. **esrenoit**: verbe formé sur le mot rein, qui signifie étymologiquement «arracher les reins à quelqu'un».
5. **commissure lambdoïde**: liaison entre différents os du crâne, qui a la forme de la lettre grecque lambda.

6. **luy donnoit dronos**: le rouait de coups (expression du patois angevin).
7. **Saincte Barbe**: patronne des artilleurs.
8. **Sainct George**: patron des cavaliers.
9. **Saincte Nytouche**: sainte imaginaire, mais très présente dans nombre de proverbes populaires. Les humanistes considèrent que l'invocation des saints lorsqu'on se trouve face au danger est une forme de superstition.

Mais ces répons que vous chantez ici ne sont, par Dieu, point de saison. [...] »

Ce disant, il mit bas son grand habit et se saisit du bâton de la croix qui était en cœur de cormier, long comme une lance, rond

40 et bien en main et quelque peu semé de fleurs de lys, toutes presque effacées. Il sortit de la sorte, dans sa belle casaque, mit son froc en écharpe, et, avec son bâton de la croix, il frappa [...] soudainement les ennemis qui vendangeaient à travers le clos sans ordre, sans enseigne, sans trompette ni tambour [...].

45 Si l'un d'eux voulait aller se cacher au plus épais des ceps, il lui froissait toute l'arête du dos et lui brisait les reins comme à un chien.

Si un autre voulait se sauver en fuyant, il lui faisait voler la tête en morceaux par la suture occipito-pariétale. Si un autre grim-

50 pait à un arbre, croyant y être en sûreté, avec son bâton il l'empalait par le fondement.

Si quelque vieille connaissance lui criait : « Ah ! frère Jean, mon ami, frère Jean, je me rends ! »

– Tu y es bien forcé, disait-il ; mais en même temps tu rendras

55 ton âme à tous les diables. » Et soudain, il l'assommait de coups. [...]

Les uns criaient : « Sainte Barbe ! » Les autres : « Saint Georges ! » Les autres : « Sainte Nitouche ! » Les autres : « Notre-Dame de Cunault ! de Lorette ! de Bonne Nouvelle ! de la Lenou ! de

60 Rivière ! » Les uns se vouaient à saint Jacques ; les autres au saint suaire de Chambéry, mais il brûla trois mois après, si bien qu'on n'en put sauver un seul brin ; d'autres à Cadouin, d'autres à saint

notes

10. Nostre Dame de Cunault, de Laurette, de Bonnes-Nouvelles, de la Lenou, de Riviere : énumération de différents sanctuaires très célèbres consacrés à la Vierge ; Cunault est situé près de Saumur, Rivière est au sud de Chinon et, Notre-Dame de Lorette en Italie.

11. sainct Jacques : désigne Saint-Jacques de Compostelle en Espagne, célèbre pèlerinage du Moyen Âge.
12. Cadouyn : monastère situé près de Bergerac en Dordogne où l'on conservait un saint suaire (linceul où l'on pensait que le Christ avait été enseveli).

les aultres à sainct Jean d'Angery[1].

65 Les aultres à sainct Eutrope de Xainctes[2], à sainct Mesmes de Chinon, à sainct Martin[3] de Candes, à sainct Clouaud[4] de Sinays, es reliques de Javrezay[5] : et mille aultres bons petits sainctz.

Les ungs mouroient sans parler. Les aultres parloient sans mourir. Les ungs mouroient en parlant, les aultres parloient en mourant.

70 Les aultres crioient à haulte voix : « Confession ! Confession ! *Confiteor ! Miserere ! In manus !*[6] »

Tant fut grand le cris des navrez que le prieur de l'abbaye avec tous ses moines sortirent. Lesquelz, quand apperceurent ces pauvres gens ainsi ruez parmy la vigne et blessez à mort, en confesserent quelques 75 ungs. Mais ce pendent que les prebstres se amusoient à confesser, les petits moinetons coururent au lieu où estoit Frere Jean, et luy demanderent en quoy il vouloit qu'ilz luy aydassent.

A quoy respondit, qu'ilz esguorgetassent[7] ceulx qui estoient portez par terre. Adoncques, laissans leurs grandes cappes sus une treille 80 au plus pres, commencerent esgourgeter et achever ceulx qu'il avoit desjà meurtriz. Sçavez vous de quels ferremens[8] ? A beaulx gouvetz, qui sont petitz demy cousteaux dont les petit enfans de nostre pays cernent les noix[9]. [...]

1. sainct Jean d'Angery : monastère de Charente-Maritime où aurait été conservée la tête de saint Jean-Baptiste.
2. sainct Eutrope de Xainctes : église de Charente-Maritime où les malades, atteints d'hydropysie, venaient chercher la guérison.
3. sainct Martin : évêque de Tours, mort et enterré à Candes, près de Chinon.
4. sainct Clouaud : petit-fils de Clovis qui avait renoncé au trône pour entrer dans les ordres.

5. Javrezay : village des deux-Sèvres, où le cardinal Perrault avait rapporté des reliques (restes d'un saint ou d'un martyr).
6. *Confiteor ! Miserere ! In manus !* : « je confesse, ayez pitié, entre vos mains », formules traditionnelles qui constituent des débuts d'invocations liturgiques.
7. esguorgetassent : forme fréquentative du verbe égorger signifiant égorger çà et là.
8. ferremens : instruments de fer.
9. cernent les noix : font une entaille dans la noix pour en ôter l'enveloppe.

Jean d'Angély ; d'autres à saint Eutrope de Saintes, à saint Mesmes de Chinon, à saint Martin de Candes, à saint Clouaud de Cinais,
65 aux reliques de Javrezay et mille autres bons petits saints.

Les uns mouraient sans parler, les autres parlaient sans mourir, les uns mouraient en parlant, les autres parlaient en mourant. Les autres criaient à haute voix : « Confession ! confession ! *Confiteor ! Miserere ! In manus !* »

70 Le cri des blessés était si grand que le prieur de l'abbaye sortit avec tous ses moines ; quand ils aperçurent ces pauvres gens renversés de la sorte à travers la vigne et blessés à mort, ils en confessèrent quelques-uns. Mais tandis que les prêtres s'attardaient à confesser, les petits moinillons coururent au lieu où était frère
75 Jean et lui demandèrent quelle aide il voulait qu'ils lui apportent.

Il leur répondit qu'ils pouvaient égorgeter ceux qui étaient tombés à terre. Laissant donc leurs grandes capes sur le pied de vigne le plus proche, ils commencèrent à égorgeter et achever ceux qu'il avait déjà blessés. Savez-vous avec quels outils ? Avec
80 de beaux canifs : ce sont les petits demi-couteaux avec lesquels les petits enfants de notre pays cernent les noix.

[…]

Cependant que Picrochole poursuit ses conquêtes et que Grandgousier hésite à prendre à son tour les armes, Gargantua, quant à lui, poursuit ses études à Paris.

La ferveur de tes estudes requeroit que de long temps ne te revocasse[1] de cestuy philosophicque repous[2], sy la confiance de noz amys et anciens confederez n'eust de present frustré[3] la seureté de ma vieillesse. Mais puis que telle est ceste fatale destinée que par iceulx
5 soye inquieté es quelz plus je me repousoye, force me est te rappeler au subside[4] des gens et biens qui te sont par droict naturel affiez.

Car ainsi comme debiles sont les armes au dehors si le conseil[5] n'est en la maison : aussi vaine est l'estude[6] et le conseil inutile qui
10 en temps oportun par vertus n'est executé et à son effect reduict.

Ma deliberation n'est de provocquer, ains de apaiser ; d'assaillir, mais defendre ; de conquester, mais de guarder mes feaulx[7] subjectz et terres hereditaires. Es quelles est hostillement entré Picrochole sans cause ny occasion, et de jour en jour poursuit sa furieuse[8] entre
15 prinse avecques excès non tolerables à personnes liberes.

Je me suis en devoir mis pour moderer sa cholere tyrannicque, luy offrent tout ce que je pensois luy povoir estre en contentement, et par plusieurs foys ay envoyé amiablement devers luy pour entendre

notes

1. revocasse : verbe dérivé du latin *revocare :* appeler de nouveau, rappeler.
2. repous : traduction littérale de l'*otium* des Romains, qui désignait un idéal de vie consacrée à la réflexion philosophique.

3. frustré : privé de quelque chose (priver les vieux jours de Grandgousier de la tranquillité escomptée).
4. subside : terme formé sur le latin *subsidium*, qui désigne le secours militaire.

« L'ardeur que tu apportes à tes études aurait demandé que je ne vinsse pas de longtemps interrompre ce studieux loisir philosophique, si la confiance que j'avais mise en nos amis et alliés de longue date n'avait pas été trompée et si je n'étais pas dépossédé de la sécurité qu'escomptait ma vieillesse. Mais puisque ma fatale destinée est telle que je me trouve inquiété par ceux en qui je me fiais le plus, force m'est de te rappeler pour secourir les gens et les biens qui te sont confiés par droit naturel. Car, de même que les armes sont faibles au-dehors si la résolution n'est pas en la maison, de même l'effort est vain et la résolution inutile si, grâce à la vertu, elles ne passent pas à l'exécution en temps opportun et ne parviennent pas à la réalisation.

« Mon dessein n'est pas de provoquer, mais au contraire d'apaiser, ni d'attaquer, mais de défendre, ni de conquérir, mais de sauvegarder mes loyaux sujets et mes terres héréditaires, sur lesquelles, sans cause ni raison, est entré en ennemi Picrochole qui poursuit jour après jour sa délirante entreprise, et ses excès intolérables à ceux qui aiment la liberté.

« Je me suis mis en devoir de modérer sa colère tyrannique, et lui ai offert tout ce que je pensais pouvoir le contenter et, à plusieurs reprises, dans des intentions pacifiques, j'ai envoyé des gens auprès de lui pour savoir en quoi, par qui et comment il se

notes

5. **conseil** : le terme conserve ici son sens étymologique (du latin *consilium*) : résolution, décision.
6. **estude** : au sens étymologique de *studium* qui signifie application, effort, ardeur.

7. **feaulx** : le féal est celui qui demeure fidèle à la foi jurée (envers son suzerain).
8. **furieuse** : adjectif formé sur le mot latin *furor*, qui signifie folie meurtrière.

en quoy, par qui et comment il se sentoit oultragé, mais de luy n'ay
20 eu responce que de voluntaire deffiance[1], et que en mes terres pretendoit seulement droict de bienseance[2]. Dont j'ay congneu que Dieu
eternel l'a laissé au gouvernail de son franc arbitre et propre sens,
qui ne peult estre que meschant sy par grâce divine n'est continuellement guidé[3] et pour le contenir en office[4] et reduire à congnois-
25 sance, me l'a icy envoyé à molestes enseignes[5].

Pourtant mon filz bien aymé le plus tost que faire pouras, ces
lettres veues retourne à diligence secourir non tant moy (ce que
toutesfoys par pitié naturellement tu doibs) que les tiens, lesquelz
par raison tu peuz saulver et guarder. L'exploict sera faict à moindre
30 effusion de sang que sera possible. Et si possible est par engins plus
expediens, cauteles[6] et ruzes de guerre, nous saulverons toutes les
ames : et les envoyerons joyeux à leurs domiciles.

Tres chier filz la paix de Christ, nostre redempteur, soyt avecques
toy. Salue Ponocrates, Gymnaste et Eudemon de par moy. Du ving-
35 tiesme de Septembre.

Ton pere Grandgousier.

notes

1. **deffiance** : attitude de défi.
2. **droict de bienseance** : droit naturel de possession d'une terre.
3. **[…] guidé** : exprimée d'abord par saint Augustin au IVᵉ siècle, puis reprise par Blaise Pascal (1623-1662), l'idée selon laquelle l'homme, abandonné à sa liberté, à son franc ou libre arbitre, ne peut être que mauvais, puisqu'il n'est pas guidé par la grâce de Dieu, se retrouve chez les humanistes, notamment Érasme. Selon lui, à la différence des protestants, la grâce divine ne supprime pas la liberté de choix dont chacun dispose.
4. **office** : revêt ici son sens étymologique de devoir (*officium* en latin).
5. **molestes enseignes** : enseigne signifie ici marque, indice, signe. De « molestes enseignes » sont des signes hostiles, porteurs de mauvais présages.
6. **cauteles** : précautions.

sentait outragé. Mais je n'ai pas eu d'autre réponse qu'un défi délibéré et la prétention d'agir sur mes terres selon son bon plaisir. Cela m'a prouvé que Dieu l'Éternel l'a abandonné à l'exercice de son libre arbitre et de son propre jugement qui ne peut qu'être mauvais s'il n'est pas continuellement guidé par la grâce divine. C'est pour le maintenir dans le devoir et pour l'éclairer que Dieu me l'a envoyé ici, sous de funestes auspices.

« C'est pourquoi, mon fils bien-aimé, dès que tu auras lu cette lettre, le plus tôt qu'il se pourra, reviens en toute hâte non pas tant pour me secourir moi-même (ce que toutefois la piété filiale t'impose naturellement de faire) que les tiens que tu peux avec raison sauvegarder et protéger. Le résultat sera obtenu en versant le moins de sang possible, et, si cela se peut, par des moyens plus efficaces, stratagèmes et ruses de guerre, nous sauverons tous les hommes, et les renverrons joyeux dans leurs demeures.

« Très cher fils, que la paix du Christ notre rédempteur soit avec toi. Salue pour moi Ponocratès, Gymnaste et Eudémon.

« Ce vingt septembre

« Ton père,

« Grandgousier. »

Grandgousier, dans un ultime effort, charge Ulrich Gallet de transmettre ses bonnes intentions auprès de Picrochole pour le convaincre de mettre fin aux hostilités.

« [...] Quelle furie[2] doncques te esmeut maintenant, toute alliance brisée, toute amitié conculquée, tout droict trespassé, envahir hostilement ses terres, sans en rien avoir esté par luy ny les siens endommaigé, irrité ny provocqué ? Où est foy ? Où est loy ? Où est raison ?

5 Où est humanité ? Où est craincte de Dieu ? Cuyde tu ces oultraiges estre recellés[3] es esperitz eternelz, et au Dieu souverain, qui est juste retributeur[4] de noz entreprinses ? Si le cuyde, tu te trompe, car toutes choses viendront à son jugement. Sont ce fatales destinées, ou influences des astres qui voulent mettre fin à tes ayzes[5] et repous ?

10 Ainsi ont toutes choses leur fin et periode[6], et, quand elles sont venues à leur poinct suppellatif, elles sont en bas ruinées, car elles ne peuvent long temps en tel estat demourer. C'est la fin de ceulx qui leurs fortunes et prosperitez ne peuvent par rayson et temperance moderer.

15 « Mais si ainsi estoit phée[7], et deust ores ton heur et repos prendre fin, falloit il que ce feust en incommodant à mon Roy, celluy par lequel tu estois estably ? Si ta maison debvoit ruiner, failloit il qu'en

1. Gallet : nom porté par un avocat de Chinon, ayant existé, qui est connu pour être allé défendre auprès du parlement de Paris les intérêts des marchands et riverains de la Loire.
2. furie : formé sur le latin *furor* et qui signifie folie meurtrière.

3. recellés : verbe formé sur le latin *celare*, cacher, qui signifie littéralement cacher de nouveau.
4. juste retributeur : reprise d'un psaume de l'Ancien Testament : « *Dieu rend à chacun selon ses œuvres* ».
5. tes ayzes : ton confort.

« […] De quelle fureur es-tu donc saisi à présent, toute alliance brisée, toute amitié foulée aux pieds, tout droit violé, pour envahir ses terres en ennemi, sans avoir été en rien lésé, irrité ou provoqué par lui ou les siens ? Où est la foi ? Où est la loi ? Où est la raison ? Où est l'humanité ? Où est la crainte de Dieu ? Crois-tu que ces outrages puissent être cachés aux esprits éternels et au Dieu souverain, lui le juste rémunérateur de nos entreprises ? Si tu le crois, tu te trompes, car toutes choses tomberont sous le coup de sa justice.

« Est-ce une destinée fatale ou l'influence des astres qui veut mettre fin à tes aises et à ta tranquillité ? C'est ainsi que toutes choses ont leur aboutissement et leur cycle d'évolution et, quand elles sont parvenues à leur apogée, elles tombent en ruine car elles ne peuvent se maintenir plus longtemps dans cet état. Ainsi finissent ceux qui ne peuvent modérer par la raison et la tempérance leur bonne fortune et leur prospérité.

« Mais si le désir en avait ainsi décidé et si ton bonheur et ta tranquillité devaient maintenant prendre fin, fallait-il que ce fût en faisant tort à mon roi, lui par lequel tu avais été placé à ce

notes

6. **periode** : le mot signifie étymologiquement « tourner autour », et évoque ainsi le retour régulier des choses.

7. **estoit phée** : ce qui doit advenir par nécessité, fatalement.

sa ruine elle tombast suz les atres[1] de celluy qui l'avoit aornée? La chose est tant hors les metes de raison, tant abhorrente[2] de sens
20 commun, que à peine peut elle estre par humain entendement conceue, et jusques à ce demourera non croiable entre les estrangiers, que l'effect asseuré et tesmoigné leur donne à entendre que rien n'est ny sainct, ny sacré à ceulx qui se sont emancipez de Dieu et Raison, pour suyvre leurs affections[3] perverses.

25 « Si quelque tort eust esté par nous faict en tes subjectz, et dommaines, si par nous eust esté porté faveur à tes mal vouluz[4], si en tes affaires ne te eussions secouru, si par nous ton nom et honneur eust esté blessé. Ou, pour mieulx dire: si l'esperit calumniateur, tentant à mal te tirer, eust par fallaces especes[5] et phantasmes[6] ludifi-
30 catoyres[7] mis en ton entendement que envers toy eussions faict choses non dignes de nostre ancienne amitié, tu debvois premier enquerir de la verité, puis nous en admonester. Et nous eussions tant à ton gré satisfaict, que eusse eu occasion de toy contenter. Mais (ô Dieu eternel) quelle est ton entreprinse[8]?

35 « Vouldroys tu, comme tyrant perfide, pillier ainsi et dissiper le royaulme de mon maistre? [...]

---

notes

1. atres: le terme désigne le foyer dans son sens étymologique, c'est-à-dire l'endroit où brûle le feu, et donc, par extension, la demeure d'une personne.
2. abhorrente: adjectif formé sur le latin *abhorreo* qui signifie s'éloigner avec horreur de quelque chose.
3. affections: mouvements de l'âme (étymologiquement, ce qui modifie un état).

4. tes mal vouluz: ceux qui te veulent du mal, tes ennemis.
5. especes: terme dérivé du latin *species* qui signifie apparence, aspect extérieur.
6. phantasmes: apparences illusoires, dépourvues de consistance.
7. ludificatoyres: adjectif dérivé du latin *ludificare*, qui signifie «se jouer de quelqu'un». C'est sur cette racine qu'est formé entre autres le terme «illusion».
8. entreprinse: action humaine.

20 rang? Si ta maison devait s'écrouler, fallait-il que dans sa ruine, elle tombât sur le foyer de celui qui l'avait enrichie? La chose dépasse tellement les bornes de la raison, elle échappe tellement au sens commun qu'un entendement humain a peine à le concevoir et qu'elle restera incroyable pour des étrangers jus-

25 qu'à ce que le témoignage de faits indiscutables leur fasse comprendre qu'il n'est rien d'assez saint ni d'assez sacré pour ceux qui se sont écartés de la tutelle de Dieu et de la raison pour suivre leurs passions perverses.

«Si nous avions causé quelque tort à tes sujets ou à tes

30 domaines, si nous avions accordé nos faveurs à tes ennemis, si nous ne t'avions pas secouru dans tes difficultés, si nous avions porté atteinte à ta réputation et à ton bonheur. Ou, pour mieux dire, si l'esprit de la calomnie, tentant de t'amener au mal, t'avait mis dans la tête, par des apparences trompeuses et des fantasmes

35 illusoires, l'idée que nous avions commis à ton endroit des choses indignes de notre ancienne amitié, tu devais d'abord chercher ce qu'il en était vraiment, puis nous adresser des remontrances. Nous aurions alors si bien satisfait tes désirs que tu aurais en tout lieu d'être content. Mais, Dieu éternel, qu'as-

40 tu entrepris? Voudrais-tu, comme un tyran perfide, piller et ruiner le royaume de mon maître? […]»

Extrait du film *Le Dictateur* réalisé par Charles Chaplin en 1940. Faisant la parodie* et la satire* d'Adolf Hitler, Chaplin joue le rôle d'un dictateur qui, à l'image de Picrochole, veut être le maître du monde.

«*Comment certains conseillers de Picrochole, par leur précipitation, le jetèrent dans le plus extrême péril*», illustration de Gustave Doré.

Comment certains gouverneurs de Picrochole, par conseil précipité, le mirent au dernier peril

[Chapitre 33]

Les conseillers de Picrochole, certains de la victoire, vont l'encourager à poursuivre la guerre en lui décrivant les moyens de la mener à bien.

« [...] Vostre armée partirez en deux, comme trop mieulx l'entendez.

« L'une partie ira ruer sur ce Grandgousier, et ses gens[1]. Par icelle sera de prime abordée facilement desconfit. Là recouvrerez argent à tas. Car le vilain[2] en a du content; vilain, disons nous, parce que un noble prince n'a jamais un sou. Thesaurizer est faict de vilain.

5 « L'aultre partie, cependent, tirera vers Onys, Sanctonge, Angomoys et Gascoigne, ensemble Perigot, Medoc et Elanes. Sans resistence prendront villes, chasteaux et forteresses. A Bayonne, à Sainct Jean de Luc et Fontarabie sayzirez toutes les naufz, et, coustoyant vers Galice, et Portugal, pillerez tous les lieux maritimes jusques à Ulis-

10 bonne, où aurez renfort de tout equipage requis a un conquerent. Par le corbieu, Hespaigne se rendra, car ce ne sont que madourrez[3]! Vous passerez par l'estroict de Sibyle[4], et là erigerez deux colonnes[5], plus magnificques que celles de Hercules[6], à perpetuelle memoire de

15 vostre nom. Et sera nommé cestuy destroict la mer Picrocholine. [...]

notes

1. **ses gens**: son armée.
2. **vilain**: désigne un paysan, un homme de basse condition; le vilain est un paysan libre, par opposition au serf, qui appartient à son seigneur.
3. **madourrez**: terme gascon signifiant rustres.

4. **estroict de Sibyle**: détroit de Séville qui sépare le continent africain de l'Espagne, (aujourd'hui détroit de Gibraltar).
5. **deux colonnes**: allusion à l'emblème de l'empereur Charles Quint, qui était composé de deux colonnes antiques, dont la devise était «plus oultre» (oultre, du latin *ultra*,

Comment certains conseillers de Picrochole, par leur précipitation le jetèrent dans le plus extrême péril

[Chapitre 33]

« [...] Vous devez diviser votre armée en deux, comme vous le savez mieux que personne.

« Une partie ira se ruer sur ce Grandgousier et ses gens et à la première attaque il sera mis en déroute. Là, vous récupérerez
5 quantité d'argent, car le vilain ne manque pas de liquide. Nous disons vilain parce qu'un noble prince n'a jamais le sou. Thésauriser est fait de vilain.

« Pendant ce temps, l'autre partie se dirigera vers l'Aunis, la Saintonge, l'Angoumois et la Gascogne, et aussi vers le
10 Périgord, le Médoc et les Landes. Ils prendront sans résistance villes, châteaux et forteresses. À Bayonne, à Saint-Jean-de-Luz et à Fontarabie, vous vous emparerez de tous les navires, et en longeant la côte en direction de la Galice et du Portugal, vous pillerez toutes les contrées maritimes jusqu'à Lisbonne, où vous
15 trouverez tout l'équipage qu'il faut à un conquérant. Corbleu ! L'Espagne se rendra, ce ne sont que des rustres. Vous passerez par le détroit de Séville et vous dresserez là deux colonnes plus magnifiques que celles d'Hercule pour perpétuer le souvenir de votre nom. Ce détroit sera nommé la mer Picrocholine. [...]

notes

signifie « au-delà de »), preuve d'une volonté sans mesure de conquêtes.
6. Hercules : à l'endroit où se trouve aujourd'hui le détroit de Gibraltar, on rapporte qu'Hercule, héros mythologique doué

d'une force extraordinaire, ouvrit un passage aux eaux de l'océan en séparant les montagnes de Gibraltar et de Ceuta (appelées par la suite colonnes d'Hercule).

Coustoyant à gausche, dominerez toute la Gaule Narbonicque[1], Provence et Allobroges, Genes, Florence, Lucques, et à Dieu seas[2] Rome. Le pauvre Monsieur du Pape[3] meurt desjà de peur[4].

— Par ma foy, dist Picrochole, je ne lui baiseray jà sa pantoufle[5].

20 — Prinze Italie, voylà Naples, Calabre, Appoulle et Sicile toutes à sac, et Malthe avec. Je vouldrois bien que les plaisans chevaliers jadis Rhodiens[6] vous resistassent, pour veoir de leur urine[7].

— Je iroys (dict Picrochole) voluntiers à Laurette[8].

— Rien, rien (dirent ilz), ce sera au retour. De là, prendrons Candie[9], 25 Cypre, Rhodes, et les isles Cyclades, et donnerons sus la Morée[10]. Nous la tenons. Sainct Treignan[11], Dieu gard Hierusalem, car le Soubdan n'est pas comparable à vostre puissance.

— Je (dist il) feray doncques bastir le temple de Salomon[12].

— Non (dirent ils) encores, attendez un peu: ne soyez jamais tant 30 soubdain à vos entreprinses. Sçavez vous que disoit Octavian Auguste[13]? *Festina lente*[14]. Il vous convient premierement avoir l'Asie Minor […].

— Mais, dist il, que faict ce pendent la part de nostre armée qui desconfit ce villain humeux[15] Grandgousier?

35 — Ilz ne chomment pas (dirent ilz); nous les rencontrerons tantost. Ilz vous ont pris Bretaigne, Normandie, Flandres, Haynault, Brabant, Artoys, Hollande, Selande[16], ilz ont passé le Rhin par sus le ventre des Suices et Lansquenetz[17], et part d'entre eulx ont dompté Luxembourg, Lorraine, la Champaigne, Savoye jusques à Lyon, auquel lieu ont

1. Gaule Narbonicque: sud-est de la France.
2. à Dieu seas: formule provençale d'adieu «à Dieu sois, Rome», ce qui signifie «adieu la puissance de Rome».
3. Monsieur du Pape: formule comique qui compare le pape à un noble.
4. peur: allusion au sac de Rome par les armées de Charles Quint, en 1527. Lorsque François Ier, à peine libéré d'Espagne, relança la guerre avec le soutien du pape Clément VII, l'empereur, malgré sa foi chrétienne, s'attaqua à Rome, cœur de la papauté.
5. pantoufle: les visiteurs devaient baiser la pantoufle du pape en signe de respect.

6. Rhodiens: les chevaliers de Saint-Jean-de-Jérusalem, chassés de Rhodes par les Turcs en 1522, avaient été rétablis à Malte par Charles Quint en 1530.
7. pour veoir de leur urine: pour établir le diagnostic de leur état de santé.
8. Laurette: lieu de pèlerinage et de dévotion à la Vierge situé en Italie, près d'Ancône.
9. Candie: la Crète.
10. Morée: le Péloponnèse en Grèce.
11. Sainct Treignan: saint invoqué d'abord par les mercenaires écossais, puis par les autres armées.

20 «En longeant la côte sur la gauche vous vous rendrez maître de la Gaule Narbonnaise, de la Provence, du pays des Allobroges, de Gênes, de Florence, de Lucques, et adieu Rome! Le pauvre Monsieur du Pape meurt déjà de peur.

— Ma foi, dit Picrochole, je ne baiserai certes pas sa pantoufle.

25 — L'Italie prise, voilà Naples, la Calabre, les Pouilles et la Sicile mises à sac, et Malte avec. Je voudrais bien que ces beaux chevaliers, jadis Rhodiens, vous résistent pour voir ce qu'ils ont dans le ventre!

— J'irais volontiers à Lorette, dit Picrochole.

30 — Non, non, dirent-ils, ce sera au retour. De là nous prendrons Candie, Chypre, Rhodes et les îles Cyclades, et nous nous lancerons sur la Morée. Nous la tenons. Saint Treignan! Dieu garde Jérusalem! car la puissance du sultan n'est pas comparable à la vôtre.

— Je ferai donc rebâtir le temple de Salomon? dit-il.

35 — Pas encore, dirent-ils, attendez un peu. Ne soyez pas si pressé dans vos entreprises. Savez-vous ce que disait l'empereur Auguste? Hâte-toi lentement. Il vous faut d'abord avoir l'Asie Mineure [...].

— Mais, dit-il, que fait pendant ce temps la moitié de notre 40 armée qui anéantit ce vilain ivrogne de Grandgousier?

— Ils ne chôment pas, dirent-ils; nous allons bientôt les rencontrer. Ils vous ont pris la Bretagne, la Normandie, les Flandres, le Hainaut, le Brabant, l'Artois, la Hollande, la Zélande. Ils ont passé le Rhin sur le ventre des Suisses et des Lansquenets. Une partie 45 d'entre eux a soumis le Luxembourg, la Lorraine, la Champagne et la Savoie jusqu'à Lyon. Là ils ont retrouvé vos garnisons reve-

notes

---

12. temple de Salomon: Salomon, roi du peuple hébreu au xe siècle avant J.-C., fit bâtir un temple à Jérusalem.
13. Auguste: premier empereur de Rome.
14. *Festina lente:* mot à mot «hâte-toi lentement»; formule de l'empereur Auguste, commentée plus tard par

l'humaniste Érasme et qui vaut comme un conseil donné aux rois.
15. humeux: celui qui hume le vin, donc un ivrogne.
16. Sélande: province des Pays-Bas.
17. Lansquenetz: mercenaires allemands originaires de la Souabe.

40 trouvé voz garnisons retournans des conquestes navales de la mer
Mediterranée. Et se sont reassemblez en Boheme, apres avoir mis à
sac Soueve[1], Vuitemberg, Bavieres, Austriche, Moravie et Stirie. Puis
ont donné fierement ensemble sus Lubek, Norwerge, Swedenrich,
Dace, Gotthie[2], Engroneland, les Estrelins, jusques à la mer Glaciale.

45 Ce faict conquesterent les isles Orchades et subjuguerent Escosse,
Angleterre et Irlande. De là navigans par la mer Sabuleuse[3], et par
les Sarmates[4], ont vaincu et dominé Prussie, Polonie, Litwanie, Russie,
Valache, la Transsilvane et Hongrie, Bulgarie, Turquie, et sont à
Constantinoble.

50 — Allons nous, dist Picrochole, rendre à eulx le plus toust, car je
veulx estre aussi empereur de Thebizonde[5]. Ne tuerons nous pas
tous ces chiens turcs et Mahumetistes?

— Que diable, dirent ilz, ferons nous doncques? Et donnerez leurs
biens et terres à ceulx qui vous auront servy honnestement.

55 — La raison (dist il) le veult, c'est equité. je vous donne la Carmaigne[6], Surie et toute Palestine.

— Ha, dirent ilz, Cyre, c'est du bien de vous: grand mercy. Dieu
vous face bien tousjours prosperer. »

Là present estoit un vieux gentilhomme esprouvé en divers hazars
60 et vray routier de guerre, nommé Echephron[7], lequel ouyant ces
propous, dist:

« J'ay grand peur que toute ceste entreprinse sera semblable à la
farce du pot au laict[8], duquel un cordouannier se faisoit riche par
resverie: puis, le pot cassé, n'eut de quoy disner. Que pretendez vous
65 par ces belles conquestes? Quelle sera la fin de tant de travaulx et
traverses?

— Ce sera, dist Picrochole que nous retournez repouserons à noz
aises. »

1. Soueve: Souabe.
2. Gotthie: sud de la Suède, que l'on croyait habité par les Goths.
3. mer Sabuleuse: la mer des sables, ou mer Baltique.

4. Sarmates: peuple de la Baltique.
5. Thebizonde: Empire byzantin souvent évoqué dans les romans de chevalerie; Rabelais s'en sert ici pour souligner le côté chimérique des conquêtes picrocholines.

nant de leurs conquêtes navales en Méditerranée et se sont rassemblés en Bohême, après avoir mis à sac la Souabe, le Wurtemberg, la Bavière, l'Autriche, la Moravie et la Styrie. Puis
50 ils se sont lancés farouchement sur Lubeck, la Norvège, la Suède, le Danemark, la Gothie, le Groenland, les villes hanséatiques, jusqu'à l'océan Glacial. Cela fait, ils ont conquis les îles Orcades et mis sous leur joug l'Écosse, l'Angleterre et l'Irlande. De là, naviguant sur la Baltique et la mer des Sarmates, ils ont vaincu et
55 réduit la Prusse, la Pologne, la Lituanie, la Russie, la Valachie, la Transylvanie, la Hongrie, la Bulgarie, la Turquie et les voilà à Constantinople.

— Allons les rejoindre au plus tôt, dit Picrochole, car je veux aussi être empereur de Trébizonde. Ne tuerons-nous pas tous
60 ces chiens de Turcs et de Mahométans ?

— Que diable ferons-nous d'autre, dirent-ils ? Vous donnerez leurs biens et leurs terres à ceux qui vous auront loyalement servi.

— La raison le veut, dit-il. C'est justice. Je vous donne la Caramanie, la Syrie et toute la Palestine.

65 — Ah ! sire, dirent-ils, c'est bien bon à vous. Grand merci ! Que Dieu vous fasse toujours prospérer ! »

Il y avait là un vieux gentilhomme qui avait connu bien des aventures, un vrai routier de guerre, nommé Échéphron. Il dit en entendant ces propos : « J'ai grand-peur que toute cette entreprise
70 ne soit semblable à la farce du pot au lait grâce auquel un cordonnier se voyait riche en rêve. Puis quand le pot fut cassé, il n'eut pas de quoi dîner. À quoi prétendez-vous par ces belles conquêtes ? À quoi aboutiront tant de travaux et tant de traverses ?

— Ce sera, dit Picrochole, qu'une fois revenus nous pourrons
75 nous reposer à notre aise. »

notes

6. **Carmaigne** : la Caramanie, c'est-à-dire la Turquie d'Asie.
7. **Echephron** : terme grec qui signifie « le prudent ».

8. **farce du pot au laict** : fable rendue célèbre par La Fontaine sous le titre « La Laitière et le Pot au lait », et racontée avant lui par Bonaventure Des Periers ; dans la fable telle que nous la connaissons, il n'est pas question de cordonnier.

Dont dist Echephron :

70   « Et si par cas jamais n'en retournez, car le voyage est long et per-
eilleux, n'est ce mieulx que des maintenant nous repousons, sans
nous mettre en ces hazars ?

– O, dist Spadassin, par Dieu voicy un bon resveux ! Mais allons
nous cacher au coing de la cheminée, et là passons avec les dames

75   nostre vie et nostre temps à enfiller des perles, ou à filler comme
Sardanapalus[1]. Qui ne se adventure, n'a cheval ny mule, ce dist
Salomon.

– Qui trop (dist Echephron) se adventure perd cheval et mulle,
respondit Malcon[2].

80   – Baste[3] ! dist Picrochole, passons oultre[4]. Je ne crains que ces
diables de legions de Grandgousier. Ce pendent que nous sommes
en Mesopotamie, s'ilz nous donnoient sus la queue[5], quel remede ?

– Tres bon, dist Merdaille, une belle petite commission[6], laquelle
vous envoirez es Moscovites, vous mettra en camp pour un moment

85   quatre cens cinquante mille combatans d'eslite. O si vous me y faictes
vostre lieutenant, je tueroys un pigne pour un mercier[7] ! Je mors,
je rue, je frappe, j'attrape, je tue, je renye !

– Sus[8], sus, dict Picrochole, qu'on despesche tout, et qui me ayme
si me suyve ! »

notes ....

1. Sardanapalus : roi légendaire d'Assyrie,
symbolisant une vie de luxe et de débauche.
2. Malcon : allusion à un dialogue en vers du
XIIe siècle, les *Dits de Marcoul et de Salomon*,
où s'opposent la haute sagesse de Salomon
et le bon sens populaire, incarné par Marcoul.
3. Baste : assez.
4. passons oultre : allusion à la devise de
Charles Quint, évoquée plus haut (note 5,
p. 100).

5. s'ilz nous donnoient sus la queue :
s'ils attaquaient notre arrière-garde en
nous prenant à revers.
6. commission : autorisation de mobiliser
des troupes.
7. tueroys un pigne pour un mercier :
déformation comique du dicton populaire
« tuer un mercier pour un peigne »,
autrement dit, pour rien.
8. Sus : à l'attaque.

Ce qui fit dire à Échéphron : « Et si par hasard vous n'en reveniez jamais, car le voyage est long et périlleux ? Ne vaut-il pas mieux se reposer dès maintenant, sans s'exposer à ces dangers ?

— Oh ! dit Spadassin, pardieu, voilà un grand fou ! Allons donc nous cacher au coin de la cheminée, et passons-y notre temps et notre vie avec les dames à enfiler des perles ou à filer comme Sardanapale. Qui ne risque rien, n'a cheval ni mule, a dit Salomon.

— "Qui risque trop", dit Échéphron, "perd cheval et mule", répondit Marcoul.

— Baste ! dit Picrochole, passons outre. Je ne crains que ces diables de légions de Grandgousier. Pendant que nous sommes en Mésopotamie, s'ils nous donnaient sur la queue, quel serait le remède ?

— Excellent, dit Merdaille. Un bon petit ordre de mobilisation que vous enverrez aux Moscovites vous mettra en campagne en un moment quatre cent cinquante mille combattants d'élite. Oh ! si vous me faites lieutenant à cette occasion, je tuerais un peigne pour un mercier ! Je mords, je rue, je frappe, j'attrape, je tue, je renie.

— Sus ! Sus ! dit Picrochole. Qu'on expédie tout, et qui m'aime me suive. »

Comment Gargantua mangea en sallade six pelerins

[Chapitre 38]

Le propos requiert¹ que racontons ce qu'advint à six pelerins qui venoient de Sainct Sebastien, pres de Nantes², et pour soy herberger celle nuict de peur des ennemys s'estoient mussez au jardin dessus les poyzars³, entre les choulx et lectues. Gargantua se trouva
5 quelque peu alteré et demanda si l'on pourroit trouver de lectues pour faire sallade. Et entendent qu'il y en avoit des plus belles et grandes du pays, car elles estoient grandes comme pruniers ou noyers, y voulut aller luy mesmes et en emporta en sa main ce que bon luy sembla, ensemble emporta les six pelerins, lesquelz avoient
10 si grand paour qu'ilz ne ausoient ny parler ny tousser.

Les lavant doncques premierement en la fontaine, les pelerins disoient en voix basse l'un à l'autre : « Qu'est il de faire ? Nous noyons icy, entre ces lectues. Parlerons nous ? Mais si nous parlons, il nous tuera comme espies. » Et comme ilz deliberoient ainsi,
15 Gargantua les mist avecques ses lectues dedans un plat de la maison, grand comme la tonne de Cisteaulx⁴, et, avecques huille, et vinaigre et sel, les mangeoit pour soy refraischir davant souper, et avoit jà engoullé⁵ cinq des pelerins, le sixiesme estoit dedans le plat, caché soubz une lectue, excepté son bourdon⁶ qui apparois-
20 soit au dessus.

Lequel voyant, Grandgousier dist à Gargantua :

« Je croy que c'est là une corne de limasson, ne le mangez poinct.

---

notes

1. Le propos requiert : formule empruntée aux romans de chevalerie ; Rabelais souligne donc que ce chapitre constitue une digression dans la trame narrative.

2. Sainct Sebastien, pres de Nantes : lieu de pèlerinage renommé pour la guérison des morsures de serpents.
3. poyzars : tiges de pois.

Comment Gargantua mangea six pèlerins en salade

[Chapitre 38]

Notre histoire veut que nous racontions ce qui arriva à six pèlerins qui venaient de Saint Sébastien près de Nantes. Pour se reposer, cette nuit-là, ils s'étaient cachés au jardin, de peur des ennemis, sur les fanes de pois, entre les choux et les laitues. Gargantua,
5   qui se sentit un peu d'appétit, demanda si l'on pourrait trouver
des laitues pour faire une salade. Apprenant qu'il y en avait, et
qu'elles étaient parmi les plus belles et les plus grandes du pays,
car elles étaient grandes comme des pruniers ou des noyers, il
voulut y aller lui-même et emporta dans sa main ce que bon lui
10 sembla. Il emporta en même temps les six pèlerins, et ceux-ci
avaient si grand-peur qu'ils n'osaient ni parler ni tousser.

Tandis qu'il commençait à les laver à la fontaine les pèlerins se
disaient l'un à l'autre à voix basse : « Que faut-il faire ? Nous
nous noyons ici, au milieu de ces laitues. Parlerons-nous ? Oui,
15 mais si nous parlons, il va nous tuer comme espion. » Pendant
qu'ils délibéraient ainsi, Gargantua les mit avec ses laitues dans
un des plats de la maison, grand comme la tonne de Cîteaux, et
commença à les manger avec huile, vinaigre et sel pour se rafraî-
chir avant de souper. Il avait déjà avalé cinq pèlerins. Le sixième
20 restait dans le plat, caché sous une laitue et seul son bourdon
dépassait.

En le voyant, Grandgousier dit à Gargantua : « Je crois que c'est
là une corne de limaçon. Ne le mangez pas. »

notes

4. la tonne de Cisteaulx : énorme cuve de l'abbaye de Cîteaux qui pouvait contenir trois cents muids de vin.

5. engoullé : littéralement, mis dans sa gueule.

6. bourdon : bâton du pèlerin.

– Pourquoy? (dist Gargantua). Ilz sont bons tout ce moys. »

Et tyrant le bourdon ensemble enleva le pelerin et le mangeoit
25 tres bien. Puis beut un horrible traict de vin pineau et attendirent
que l'on apprestast le souper. Les pelerins ainsi devorez se tirerent
hors les meulles[1] de ses dentz le mieulx que faire peurent, et pen-
soient qu'on les eust mys en quelque basse fousse des prisons. Et
lors que Gargantua beut le grand traict, cuyderent noyer en sa
30 bouche, et le torrent du vin presque les emporta au gouffre de
son estomach, toutesfoys, saultans avecques leurs bourdons, comme
font les micquelotz[2], se mirent en franchise[3] l'orée des dentz. Mais
par malheur l'un d'eux, tastant avecques son bourdon le pays à
sçavoir s'ilz estoient en sceureté, frappa rudement en la faulte[4]
35 d'une dent creuze, et ferut[5] le nerf de la mandibule[6], dont feist
tres forte douleur à Gargantua, et commença crier de raige qu'il
enduroit. Pour doncques se soulaiger du mal feist aporter son cure-
dentz, et sortant vers le noyer grollier[7], vous denigea Messieurs
les pelerins.

40 Car il arrapoit l'un par les jambes, l'aultre par les espaules, l'aultre
par la bezace[8], l'aultre par la foilluze[9], l'aultre par l'escharpe[10], et
le pauvre haire qui l'avoit féru du bourdon, le accrochea par la braguette, toutesfoys ce luy fut un grand heur, car il luy percea une
bosse chancreuze, qui le martyrisoit depuis le temps qu'ilz eurent
45 passé Ancenys.

Ainsi les pelerins denigez s'enfuyrent à travers la plante[11] à beau
trot, et appaisa la douleur. [...]

notes

1. meulles: molaires (étymologiquement, qui servent à moudre).
2. micquelotz: pèlerins se rendant au mont Saint-Michel.
3. se mirent en franchise: se mirent en liberté, c'est-à-dire à l'abri.
4. faulte: défaut, point faible.
5. ferut: passé simple du verbe férir (frapper).
6. mandibule: partie inférieure de la mâchoire.

7. noyer grollier: noyer dont les noix sont si dures que seules les grolles (corneilles, choucas) peuvent les casser.
8. bezace: sac dont les extrémités forment deux poches; désigne ici par métaphore le gros ventre du pèlerin.
9. foilluze: bourse, parties génitales.
10. escharpe: sacoche de pèlerin.
11. plante: vigne nouvellement plantée.

«– Pourquoi ? dit Gargantua. Ils sont bons tout ce mois-ci. »

25 Et, tirant le bourdon, il souleva en même temps le pèlerin et le mangea bel et bien. Puis il but une horrible rasade de vin pineau et ils attendirent que l'on apprêtât le souper.

Les pèlerins ainsi dévorés s'écartèrent du mieux qu'ils purent des meules de ses dents, et pensaient qu'on les avait mis dans 30 quelque basse fosse des prisons. Et quand Gargantua but la grande rasade, ils crurent se noyer dans sa bouche : le torrent de vin faillit les emporter jusqu'au gouffre de son estomac. Toutefois, en sautant avec leurs bourdons, comme font les pèlerins de Saint-Michel, ils s'enfuirent le long des dents. Mais, par malheur, l'un 35 d'eux, tâtant le terrain avec son bourdon pour savoir s'ils étaient en sécurité, frappa rudement au creux d'une dent gâtée et heurta le nerf de la mâchoire, ce qui causa une très vive douleur à Gargantua : il commença à crier, enragé par la souffrance qu'il endurait. Alors pour se soulager de ce mal il fit apporter son cure-40 dent, et sortant du côté du noyer grollier, il vous dénicha messieurs les pèlerins. Il en attrapait un par les jambes, l'autre par les épaules, un autre par la besace, un autre par la bourse, un autre par l'écharpe. Quant au pauvre bougre qui l'avait frappé avec son bourdon, il l'accrocha par la braguette. Toutefois ce fut une grande 45 chance pour celui-ci, car il lui perça un abcès ulcéreux qui le martyrisait depuis qu'ils avaient dépassé Ancenis.

C'est ainsi que les pèlerins dénichés s'enfuirent à travers les vignes à toutes jambes et que la douleur s'apaisa. […]

Comment Grandgousier traicta humainement Toucquedillon prisonnier

[Chapitre 46]

Bien que Grandgousier ait en vain tenté de raisonner Picrochole, sa furie guerrière, sur l'avis de son entourage, redouble d'intensité. Le frère Jean, ayant réussi à se délivrer de ses gardes, parvient néanmoins à faire prisonnier le capitaine Toucquedillon.

Toucquedillon fut presenté à Grandgousier, et interrogé par icelluy sus l'entreprinze et affaires de Picrochole, quelle fin il pretendoit par ce tumultuaire[2] vacarme. A quoy respondit que sa fin et sa destinée estoit de conquester tout le pays s'il povoit, pour l'injure[3]
5 faicte à ses fouaciers.

« C'est (dist Grandgousier) trop entreprint, qui trop embrasse peu estrainct. Le temps n'est plus d'ainsi conquester les royaulmes avecques dommaige de son prochain[4] frere christian, ceste imitation des anciens Hercules, Alexandres, Hannibalz[5], Scipions, Cesars et aultres telz, est
10 contraire à la profession de l'evangile, par lequel nous est commandé guarder, saulver, regir et administrer chascun ses pays et terres, non hostilement envahir les aultres. Et ce que les Sarazins[6] et Barbares jadis appelloient prouesses, maintenant nous appellons briguanderies et mechansetez. Mieulx eust il faict soy contenir en sa maison
15 royallement la gouvernant : que insulter[7] en la mienne hostilement

notes

1. Toucquedillon : terme languedocien qui signifie « qui touche de loin » ; le terme est ici synonyme de fanfaron.
2. tumultuaire : en latin, l'adjectif *tumultuarius* évoque des armées levées en masse et à la hâte.

3. injure : du latin *injuria*, signifiant ce qui est contraire au droit et à la justice.
4. prochain : terme qui a des résonances religieuses : « tu aimeras ton prochain comme toi-même » ; le prochain désigne le voisin, mais aussi tout être humain.

Comment Grandgousier traita humainement Touquedillon prisonnier

[Chapitre 46]

Touquedillon fut présenté à Grandgousier qui l'interrogea sur les entreprises et les desseins de Picrochole et lui demanda à quoi tendaient ces levées en masse et ces désordres. Il répondit à cela que son but et son dessein étaient de conquérir tout le pays,

5 s'il pouvait, pour venger l'injustice faite à ses fouaciers.

« C'est trop d'ambition, dit Grandgousier : qui trop embrasse mal étreint. Le temps n'est plus de conquérir ainsi les royaumes, pour le plus grand dommage de son prochain, de son frère chrétien. Imiter de la sorte les anciens Hercule, Alexandre, Annibal,

10 Scipion, César est contraire à l'enseignement de l'Évangile qui nous ordonne à chacun de garder, de protéger, de régir et d'administrer nos pays et nos terres, au lieu d'envahir ceux des autres en ennemis. Ce que les Sarrasins et les Barbares appelaient jadis des prouesses, nous, nous l'appelons brigandage et cruauté. Il

15 aurait mieux fait de rester chez lui à gouverner en roi que de venir se déchaîner chez moi pour piller en ennemi. En gouver-

notes

5. Hannibalz : général carthaginois, vaincu lors de la deuxième guerre punique par le romain Scipion (IIIe siècle av. J.-C.).
6. Sarazins : les Arabes au Moyen Âge.

7. insulter : verbe dérivé du latin *insultare*, qui signifie sauter çà et là, puis faire preuve d'insolence à l'égard de quelqu'un.

la pillant, car par bien la gouverner l'eust augmentée, par me piller sera destruict. Allez vous en au nom de Dieu : suyvez bonne entreprinse, remonstrez[1] à vostre roy les erreurs que congnoistrez, et jamais ne le conseillez, ayant esgard à vostre profit particulier, car avecques le commun est aussy le propre perdu[2]. Quand est de vostre ranczon, je vous la donne entierement, et veulx que vous soient rendues armes et cheval, ainsi fault il faire entre voisins et anciens amys, veu que ceste nostre difference n'est poinct guerre proprement.

[…] Si guerre la nommez, elle n'est que superficiaire – elle n'entre poinct au profond cabinet[3] de noz cueurs. Car nul de nous n'est oultraigé en son honneur – : et n'est question, en somme totale, que de rabiller quelque faulte commise par nos gens, j'entends et vostres et nostres. Laquelle, encores que congneussiez, vous doibviez laisser couler oultre, car les personnages querelans estoient plus à contempner, que à ramentevoir[4], mesmement leurs satisfaisant selon le grief[5], comme je me suis offert. Dieu sera juste estimateur de nostre différent, lequel je supplye plus tost par mort me tollir de ceste vie, et mes biens deperir davant mes yeulx, que par moy ny les miens en rien soit offensé. » […]

Lors commenda Grandgousier, que present Toucquedillon feussent contez au moyne soixante et deux mille saluz[6] pour celle prinse. Ce que feut faict ce pendent qu'on feist la collation au dict Toucquedillon, auquel demanda Grandgousier s'il vouloit demourer avecques luy, ou si mieulx aymoit retourner à son roy.

Toucquedillon respondit, qu'il tiendroit le party lequel il luy conseilleroit.

« Doncques (dist Grandgousier) retournez à vostre roy, et Dieu soit avecques vous. » […]

---

notes

1. **remonstrez :** faites des remontrances à propos des erreurs commises.
2. **le commun […] perdu :** le bien commun étant la somme des intérêts particuliers (propres), sa ruine entraîne aussi la destruction du bien de chacun.
3. **cabinet :** petite pièce où l'on enferme ce que l'on a de plus précieux.
4. **plus à […] ramentevoir :** sont plus dignes de mépris (*contemnere* en latin signifie « mépriser ») que de mémoire.
5. **grief :** doléance, plainte.

nant bien, il aurait prospéré, tandis que, en venant piller chez moi, il sera anéanti.

20 « Allez-vous-en, au nom de Dieu, poursuivez de justes desseins, remontrez à votre roi les erreurs qui vous apparaîtront, et ne le conseillez jamais en songeant à vos intérêts personnels, car en perdant le bien public, on perd aussi le sien propre. Quant à votre rançon, je vous en dispense totalement, et veux que l'on vous rende armes et cheval.

25 « C'est ainsi qu'il faut agir entre voisins et anciens amis : ce différend qui nous oppose n'est pas une véritable guerre. […] Même si vous parlez de guerre, elle n'est que superficielle, elle n'entre pas au plus profond de nos cœurs, car nul d'entre nous n'est blessé dans son honneur, et il n'est question, somme toute, que de réparer une faute commise par nos gens – j'entends les vôtres et les nôtres. Quand bien même vous en auriez été informés, vous auriez dû n'en pas tenir compte, car ceux qui se sont querellés étaient à mépriser plus qu'à prendre en considération, d'autant plus qu'ils étaient dédommagés à proportion de leurs griefs, comme j'avais proposé de le faire. Dieu sera le juste arbitre de notre différend, lui que je supplie de m'arracher à la vie et de laisser mes biens périr devant mes yeux, plutôt que de le voir offensé en quoi que ce soit par moi-même ou par les miens. » […]

Alors Grandgousier ordonna qu'en présence de Touquedillon, l'on comptât au moine soixante-deux mille saluts d'or pour cette prise, ce qui fut fait tandis qu'on préparait une collation pour ledit Touquedillon. Grandgousier lui demanda s'il voulait demeurer avec lui ou s'il préférait retourner auprès de son roi. Touquedillon répondit qu'il se rangerait au parti qu'il lui conseillerait : « En ce cas, dit Grandgousier, retournez auprès de votre roi, et que Dieu soit avec vous ! » […]

note

6. **saluz** : monnaie de très grande valeur (12 francs-or), ainsi nommée parce qu'une de ses faces représentait la salutation de l'Ange à la Vierge Marie.

Guernica de Pablo Picasso (1881-1973). Guernica est une ville d'Espagne qui, en 1937, durant la guerre civile, fut bombardée par des avions allemands qui combattaient aux côtés du dictateur Franco. La même année, Picasso présenta ce tableau désormais célèbre lors de l'Exposition internationale.

L'épisode de la guerre picrocholine semble offrir au lecteur une parfaite illustration du propos que Rabelais tenait dans son prologue : derrière la matière joyeuse, il appartiendra au lecteur avisé de rompre l'os et de sucer la « *substantifique moelle* ». Le conflit, qui a pour cause une simple querelle de paysans, se veut d'abord une parodie des chansons de geste* et de l'épopée* : si Rabelais reprend la matière, les procédés* d'écriture de celle-ci, il n'empêche ici que les protagonistes n'incarnent en aucune façon les héros grecs et troyens mais plutôt de simples paysans de Touraine.

Toutefois, la simple prise en compte du contexte historique dans lequel s'inscrit le *Gargantua* permet de comprendre que sous cette parodie amusée se profile une réflexion sur la guerre et les désastres dont elle est porteuse : en 1534, les guerres opposant le roi de France et l'empereur Charles Quint, caricaturé ici dans sa soif de conquête à travers le personnage de Picrochole, viennent à peine de s'achever.

C'est également en 1534, date probable de la parution du *Gargantua*, que l'affaire des affiches apposées par les protestants éclate, se présentant comme l'élément détonateur des guerres de religion qui vont ensanglanter la France durant toute la deuxième moitié du XVIᵉ siècle. La réflexion de Grandgousier sur la sédition (révolte concertée contre l'autorité publique) apparaît ici prémonitoire. Rabelais veut nous convaincre des dangers et de l'absurdité des guerres de conquête, et ce texte fournit un exemple représentatif du texte argumentatif à visée didactique*.

* *Cf.* Lexique.

Discours et récit

C'est le linguiste Émile Benvéniste qui a mis à jour l'opposition entre récit et discours, dans ses *Éléments de linguistique générale*. Le récit s'oppose au discours en ce qu'il constitue un énoncé dans lequel ne figure aucune marque d'énonciation* : on ne sait à aucun moment déterminer l'émetteur, l'époque et le lieu de l'énonciation. Le discours quant à lui regroupe tous les autres types d'énoncés.

Toutefois l'opposition entre les deux types d'énoncés n'est pas toujours très nette : on peut trouver dans un récit des interventions du narrateur, des intrusions d'auteur, qui signalent autant de passages au discours. L'emploi du passé simple et de la troisième personne sont une des caractéristiques du récit alors que l'emploi du présent de l'indicatif, des deux premières personnes ou encore des pronoms et adjectifs démonstratifs forment souvent les marques du discours. La difficulté consiste pour l'écrivain à conférer une unité à ces différents types d'énoncés : l'exemple des *Fables* de La Fontaine permet de comprendre comment l'auteur a pu réunir des types d'énoncés aussi différents que le récit de l'histoire, le discours des protagonistes et, enfin, la formulation d'une morale.

❶ Identifiez dans cet extrait les deux types d'énoncés que sont discours et récit en vous appuyant sur leurs procédés* caractéristiques.

❷ Comment Rabelais confère-t-il une cohérence et une unité aux passages de discours et de récit ?

❸ Comment sont rapportés les propos de Touquedillon et ceux de Grandgousier ? Pourquoi cette opposition ? Quel est l'effet recherché ?

❹ Pourquoi les propos de Grandgousier peuvent-ils correspondre aux deux sens du mot « discours » ?

Argumenter et convaincre

Tout texte argumentatif vise à convaincre un ou plusieurs destinataires d'une thèse défendue par un locuteur*. En vue de convaincre du bien-fondé de sa thèse, ce dernier emploie des arguments qui sont eux-mêmes illustrés par des exemples. Or, il existe différents types d'arguments : l'argument d'autorité, par exemple, consiste à invoquer l'avis et l'autorité d'une personnalité célèbre, d'un texte canonique*, pour qu'ils servent de caution au jugement que l'on avance.

Un raisonnement constitue un ensemble d'arguments articulés selon des liens logiques. Le raisonnement inductif consiste à partir d'une observation particulière pour en dégager une loi générale, à l'inverse du raisonnement déductif qui tire d'un ensemble de lois générales une conséquence logique sous la forme d'une observation particulière. Enfin, le raisonnement par analogie repose sur le rapprochement de deux situations semblables. Les figures de style, les indices de subjectivité, le jeu des pronoms, le recours à un dialogue fictif forment autant de procédés* dont le locuteur se sert pour mener à bien et nous convaincre de ses propos.

Les types d'arguments

❺ Quelle est la thèse soutenue par Grandgousier dans son discours ? Sur quels arguments repose-t-elle ?

❻ Parmi les arguments employés par le locuteur, quels sont les arguments d'autorité ?

❼ Quelle pourrait être, d'après ce texte, les qualités d'un bon roi ?

Le type de raisonnement

❽ Quelle est la progression suivie par Grandgousier dans son discours et quel est le type de raisonnement utilisé ?

❾ Dans quel registre de langue* est formulé le discours de Grandgousier ? Quelles formules ou expressions témoignent de la rhétorique* de son discours ?

* *Cf.* Lexique.

⑩ Qu'est-ce qui peut laisser penser que son propos dépasse les circonstances de la guerre picrocholine ? Étudiez les procédés* grâce auxquels les idées présentées dans le discours de Grandgousier revêtent une portée universelle.

L'humanisme et la foi en la paix

Parallèlement à l'humanisme qui procède à un retour aux textes antiques, l'évangélisme est une doctrine qui prétend revenir à la source de la foi dans les textes fondateurs de la religion chrétienne (la Bible, les textes des Pères de l'Église). Rabelais n'a jamais caché ses sympathies envers le courant évangéliste qu'il considérait comme une réaction face aux excès et aux dérives du clergé catholique au Moyen Âge, tels que la simonie (vente par les prêtres de sacrements contre de l'argent) ou le nicolaïsme (mariage des prêtres) qui étaient largement répandus. Jusqu'à « l'affaire des Placards », le roi de France François Ier n'hésita pas à protéger les évangélistes qui, à la différence des protestants, reconnaissent l'autorité de Rome, ainsi que la monarchie de droit divin.

Or, c'est précisément au nom d'un retour au message évangélique que certains humanistes, et plus particulièrement Érasme (1469-1536) qui, dans la *Complainte de la paix* écrite aux alentours de 1516, soutiennent que les guerres constituent une offense envers le message de paix des Évangiles. Contre l'épopée sanglante des croisades médiévales, contre les campagnes françaises en Italie à la fin du XVe siècle, contre l'ambition démesurée de conquête de Charles Quint, contre ces guerres incessantes dont la population civile est la première victime, Érasme soutient que toute guerre est une guerre contre le Christ « *qui n'est qu'amour* ». Bien que Rabelais condamne les guerres qui ne se justifient que par un désir de conquête, il soutient, à la différence d'Érasme, la légitimité des guerres de défense. Le bon roi se doit de faire face aux menaces de l'envahisseur, de protéger, grâce à son armée, la vie et les biens de ses sujets. Grandgousier incarne cet esprit pacifique qui n'a finalement recours

* *Cf.* Lexique.

aux armes que pour défendre ses sujets. Ainsi, le modèle du chevalier en arme cède-t-il la place à celui du sage pour qui, en définitive, seule la paix est héroïque.

La religion de l'humanisme

⓫ Relevez dans le texte toutes les expressions qui font référence aux textes sacrés.

⓬ Les allusions à l'Écriture sainte ne contribuent-elles pas à façonner une nouvelle vision du monde ? Laquelle ?

⓭ À quels noms célèbres et à quel type de textes les commandements de l'Évangile s'opposent-ils ? N'est-il pas surprenant de trouver une semblable remise en cause sous la plume de Rabelais ?

Guerre et paix

⓮ De quels défauts Grandgousier accuse-t-il Picrochole ?

⓯ En quoi ce texte critique-t-il implicitement une vision héroïque sinon épique* de la guerre ?

⓰ En quoi ce texte fait-il une apologie* de la paix ?

* *Cf.* Lexique.

« Le Bon Prince »

Lectures croisées et travaux d'écriture

Les philosophes de l'Antiquité avaient fait de la réflexion sur le pouvoir politique un élément essentiel de leur philosophie. Platon avait séjourné à la cour de Denys l'Ancien, tyran de Syracuse, et Aristote fut le précepteur d'Alexandre le Grand. Dans la *République* et les *Politiques*, l'un et l'autre avaient respectivement défini les éléments essentiels des fondements de toute autorité politique.

Le XVIᵉ siècle est un siècle de guerre et les humanistes ne manqueront pas d'en critiquer les injustices, de condamner, ouvertement ou non, les tyrans qui en sont à l'origine, comme le fit l'ami de toujours de Montaigne, Étienne de La Boétie (1530-1563), dans son *Discours de la servitude volontaire*. La redécouverte des textes grecs et latins, à travers l'humanisme, ne pouvait que donner un nouvel élan à cette réflexion sur le pouvoir politique. Cependant, là où les auteurs antiques s'attachent à définir la nature du meilleur système politique, les auteurs humanistes s'interrogent davantage sur la personnalité du meilleur gouvernant. Quelles doivent être les qualités d'un bon prince ? Telle est la question fondamentale que se posent Machiavel, Montaigne, La Boétie et Rabelais, quand bien même leur conception du bon prince ne serait pas la même. Il demeure que la caractéristique essentielle de cette réflexion sur le pouvoir politique est qu'elle apparaît toujours tributaire d'une conception de l'homme.

Machiavel, *Le Prince*

Le Prince, ouvrage du conseiller florentin Nicolas Machiavel (1469-1527), dédié au souverain de Florence Laurent de Médicis, se veut d'abord un manuel pratique de l'exercice du pouvoir. C'est à partir de cet ouvrage que s'est répandu, à tort ou à raison, le nom de machiavélisme pour désigner *une attitude cynique, débarrassée de toute préoccupation morale, et qui ne prend en compte que des rapports de force. Après avoir défini les modalités d'une conquête du pouvoir, Machiavel explique ici comment le Prince doit s'y prendre pour se maintenir au pouvoir.*

De la cruauté et de la clémence,
et s'il vaut mieux être aimé que craint

On peut répondre que le meilleur serait d'être l'un et l'autre. Mais comme il est très difficile que les deux choses existent ensemble, je dis que, si l'une doit manquer, il est plus sûr d'être craint que d'être aimé. On peut, en effet, dire généralement des hommes qu'ils sont ingrats, inconstants, dissimulés, tremblants devant les dangers et avides de gain ; que, tant que vous leur faites du bien, ils sont à vous ; qu'ils vous offrent leur sang, leurs biens, leur vie, leurs enfants, tant, comme je l'ai dit, que le péril ne s'offre que dans l'éloignement ; mais que, lorsqu'il s'approche, ils se détournent bien vite. Le prince qui se serait entièrement reposé sur leur parole, et qui, dans cette confiance, n'aurait point pris d'autres mesures, serait bientôt perdu ; car toutes ces amitiés, achetées par des largesses, et non accordées par générosité et grandeur d'âme, sont quelquefois, il est vrai, bien méritées, mais on ne les possède pas effectivement ; et, au moment de les employer, elles manquent toujours. Ajoutons qu'on appréhende beaucoup moins d'offenser celui qui se fait aimer que celui qui se fait craindre ; car l'amour tient par un lien de reconnaissance bien faible pour la perversité humaine, et qui cède au moindre motif d'intérêt personnel ; au lieu que la crainte résulte de la menace du châtiment, et cette peur ne s'évanouit jamais.

Nicolas Machiavel, *Le Prince*, chapitre XVII, 1513, édition Nathan, trad. Patrick Dupouey.

Corneille, *Cinna*
Dans cette tragédie historique, Corneille (1606-1684) met en scène l'empereur Auguste, confronté à une conspiration tramée par son entourage le plus proche : sa fille adoptive Émilie, son époux Cinna, et Maxime, un des chefs de la conspiration. L'extrait proposé se situe au moment où l'empereur vient de découvrir le complot.

Auguste

En est-ce assez, ô Ciel ! et le sort, pour me nuire,
A-t-il quelqu'un des miens qu'il veuille encor séduire ?
Qu'il joigne à ses efforts le secours des enfers :
Je suis maître de moi comme de l'univers ;

Je le suis, je veux l'être. Ô siècles, ô mémoire,
Conservez à jamais ma dernière victoire !
Je triomphe aujourd'hui du plus juste courroux
De qui le souvenir puisse aller jusqu'à vous.
Soyons amis, Cinna, c'est moi qui t'en convie :
Comme à mon ennemi je t'ai donné la vie,
Et malgré la fureur de ton lâche destin[1]
Je te la donne encor comme à mon assassin.
Commençons un combat qui montre par l'issue
Qui l'aura mieux de nous ou donnée ou reçue.
Tu trahis mes bienfaits, je les veux redoubler ;
Je t'en avais comblé, je t'en veux accabler :
Avec cette beauté[2] que je t'avais donnée,
Reçois le consulat pour la prochaine année.

Corneille, *Cinna*, acte V, scène 3, 1641.

1. destin : projet. **2. beauté :** il s'agit d'Émilie, la fille d'Auguste, dont l'empereur avait donné la main à Cinna.

Jean Anouilh, *Antigone* (1944)

Anouilh (1910-1987) reprend ici le mythe d'Antigone, développé au Vᵉ siècle avant J.-C. par Sophocle dans la tragédie du même nom. Les deux frères d'Antigone, Étéocle et Polynice, se sont entretués devant les murs de Thèbes et leur oncle Créon, roi de la ville, décide que le corps de Polynice doit rester sans sépulture. Antigone, bravant le décret de Créon, décide d'ensevelir son frère, opposant aux lois de la cité les lois non écrites des dieux. Au cours de cette scène, Créon tente de sauver Antigone qui vient d'être arrêtée. Celle-ci se réfugie dans son intransigeance.

CRÉON : Quel breuvage, hein, les mots qui vous condamnent ? Et comme on les boit goulûment quand on s'appelle Œdipe ou Antigone. Et le plus simple après, c'est encore de se crever les yeux et d'aller mendier avec ses enfants sur les routes[1]. Eh bien non. Ces temps sont révolus pour Thèbes. Thèbes a droit maintenant à un prince sans histoire. Moi, je m'appelle seulement Créon, Dieu merci. J'ai mes deux pieds par terre, mes deux mains enfoncées dans mes poches et, puisque je suis roi, j'ai résolu, avec moins d'ambition que ton père, de m'employer simplement à rendre simplement l'ordre de ce monde un peu moins absurde, si c'est possible. Ce n'est même pas une aventure, c'est un métier pour tous les jours et pas toujours drôle, comme tous les métiers. Mais puisque je suis là pour le faire, je vais le faire… Et si demain un messager crasseux dévale du fond des montagnes pour m'annoncer qu'il n'est pas très sûr non plus de ma naissance[2], je le prierai tout simplement de s'en retourner d'où il vient et je ne m'en irai pas pour si peu regarder ta tante sous le nez et me mettre à confronter les dates. Les rois ont autre chose à faire que du pathétique personnel, ma petite fille.

Jean Anouilh, Antigone, 1944, Éditions de La Table Ronde, 1998.

1. sur les routes : Œdipe, le père d'Antigone, quand il découvre qu'il a épousé sa mère Jocaste et tué son père Laïos, se crève les yeux avec la broche de la robe de Jocaste et part sur les routes. **2. naissance :** c'est un berger corinthien qui vient pour la première fois installer le doute dans l'esprit d'Œdipe, ce qui le conduira à s'interroger sur sa véritable identité.

> **Corpus**
>
> **Texte A :** Chapitre 46 du *Gargantua* de François Rabelais (pp. 112 à 115).
> **Texte B :** Extrait du chapitre XVII du *Prince* de Nicolas Machiavel (p. 124).
> **Texte C :** Extrait de l'acte V, scène 3 de *Cinna* de Corneille (pp. 124-125).
> **Texte D :** Extrait de *Antigone* de Jean Anouilh (pp. 125-126).

Examen des textes

❶ Relevez dans le texte D toutes les expressions qui n'appartiennent pas du tout au registre de la tragédie. Pourquoi Créon les emploie-t-il ?

❷ Dans le texte B, quelle est la thèse soutenue par l'auteur ? Quels sont ses arguments ?

❸ Quelle conception de l'être humain est développée dans le texte B ?

❹ Quelles sont les qualités essentielles qu'Auguste souhaite mettre en valeur dans le texte C ?

❺ Étudiez les marques de l'énonciation* dans les textes B, C et D. En quoi permettent-elles de distinguer la différente nature de ces trois textes ?

Travaux d'écriture

Question préliminaire
Quelles sont, dans les quatre textes proposés, les qualités du bon prince ?

Commentaire composé
Faites un commentaire composé du texte de Jean Anouilh.

Dissertation
Un écrivain peut-il vivre hors de son temps ? Vous répondrez à cette question dans un développement argumenté, en vous appuyant sur des exemples précis.

Sujet d'invention
En vous inspirant du discours de Grandgousier et des procédés* utilisés par Rabelais, rédigez un plaidoyer en faveur d'une paix juste dans la guerre ou le conflit que vous choisirez.

* *Cf.* Lexique.

Après avoir repris à l'ennemi La Roche-Clermaud dont Picrochole s'était emparé et où il résidait, Gargantua, revenu de Paris sur la demande de son père, repousse les envahisseurs et s'adresse aux prisonniers.

[…] Car le temps, qui toutes choses ronge et diminue, augmente et accroist les bienfaictz, parce q'un bon tour liberalement² faict à homme de raison croist continuement par noble pensée et remembrance. Ne voulant doncques aulcunement degenerer de la debon-
5 naireté³ hereditaire de mes parens, maintenant je vous absoluz et delivre, et vous rends francs⁴ et liberes comme par avant.

« D'abondant, serez à l'yssue des portes payez, chascun pour troys moys, pour vous pouvoir retirer, en vos maisons et familles, et vous conduiront en saulveté six cens hommes d'armes et huyct mille
10 hommes de pied, soubz la conduicte de mon escuyer Alexandre, affin que par les païsans ne soyez oultragez. Dieu soit avecques vous ! Je regrette de tout mon cueur que n'est icy Picrochole. Car je luy eusse donné à entendre que sans mon vouloir, sans espoir de accroistre ny mon bien, ny mon nom, estoit faicte ceste guerre. Mais,
15 puis qu'il est esperdu⁵, et ne sçayt on où, ny comment est esvanouy, je veulx que son royaulme demeure entier à son filz. Lequel, parce qu'est par trop bas d'eage (car il n'a encores cinq ans accomplyz) sera gouverné et instruict par les anciens princes et gens sçavans du

---

notes

1. contion : terme formé sur le latin *contio* qui désigne un discours, une harangue populaire.

2. liberalement : de façon désintéressée.
3. debonnaireté : bonté ; étymologiquement, de bon aire : de bonne famille, noble.

128

La harangue que fit Gargantua aux vaincus

[Chapitre 50]

[…] « Le temps qui ronge et amoindrit toutes choses, augmente et accroît les bienfaits, parce qu'une action généreuse libéralement accomplie en faveur d'un homme sensé s'amplifie continuellement sous l'effet de la noblesse de la pensée et du souvenir.

5 « Ne voulant donc manquer en rien à la générosité héréditaire de mes parents, je vous pardonne et vous délivre à présent, et vous laisse redevenir francs et libres comme avant.

« De plus, en passant les portes, chacun de vous sera payé pour trois mois, afin que vous puissiez retourner en vos demeures et 10 dans vos familles. Six cents hommes d'armes et huit mille hommes de pied vous conduiront en sûreté sous la conduite de mon écuyer Alexandre pour vous éviter d'être malmenés par les paysans. Que Dieu soit avec vous ! Je regrette de tout mon cœur que Picrochole ne soit pas ici, car je lui aurais donné à entendre 15 que cette guerre s'était faite contre ma volonté, sans que j'aie espéré accroître mes biens ou ma renommée. Mais puisqu'il a disparu, et qu'on ne sait ni où ni comment il s'est évanoui, je veux que son royaume revienne tout entier à son fils : puisque celui-ci est encore trop jeune (il n'a pas encore cinq ans révo-

notes

| 4. **francs :** libres. | 5. **esperdu :** puisque l'on a perdu sa trace.

royaulme. Et par autant qu'un royaulme ainsi desolé[1] seroit facile-
20 ment ruiné, si on ne refrenoit la convoytise et avarice des adminis-
trateurs d'icelluy : je ordonne et veux que Ponocrates soit sus tous
ses gouverneurs entendant, avecques auctorité à ce requise, et assidu
avecques l'enfant jusques à ce qu'il le congnoistra idoine de povoir
par soy regir et regner. […] »

note

| **1. désolé** : abandonné, dépourvu de chef.

20   lus), il sera dirigé et formé par les anciens princes et les savants
     du royaume. Et puisqu'un royaume ainsi privé de son chef serait
     facilement anéanti si l'on ne réfrénait la convoitise et la cupidité
     de ses administrateurs, je veux et j'ordonne que Ponocratès ait la
     haute main sur tous ses gouverneurs, avec toute l'autorité
25   nécessaire, et qu'il reste auprès de lui jusqu'à ce qu'il le juge
     capable de gouverner et de régner par lui-même. […] »

Comment Gargantua feist bastir pour le moyne l'abbaye de Theleme[1]

[Chapitre 52]

Après avoir célébré sa victoire et récompensé copieusement ses guerriers, Gargantua souhaite remercier frère Jean, héros des guerres picrocholines.

Restoit seulement le moyne à pourvoir. Lequel Gartantua vouloit faire abbé de Seuillé : mais il le refusa. Il luy voulut donner l'abbaye de Bourgueil[2], ou de Sainct Florent[3], laquelle mieulx luy duiroit, ou toutes deux, s'il les prenoit à gré. Mais le moyne luy fist responce
5   peremptoire que de moyne il ne vouloit charge ny gouvernement :
« Car comment (disoit il) pourroy je gouverner aultruy, qui moy mesmes gouverner ne sçaurois ? Si vous semble que je vous aye faict, et que puisse à l'advenir faire service agreable, oultroyez moy de fonder une abbaye à mon devis[4]. »
10   La demande pleut à Gargantua, et offrit tout son pays de Theleme jouste la riviere de Loyre, à deux lieues de la grande forest du Port Huault. Et requist à Gargantua qu'il instituast sa religion[5] au contraire de toutes aultres.
« Premierement doncques (dist Gargantua) il n'y fauldra jà bastir
15   murailles au circuit : car toutes aultres abbayes sont fierement murées.
– Voyre, dist le moyne. Et non sans cause : où mur y a et davant et derriere, y a force murmur, envie et conspiration mutue[6]. »
[…] Et parce que es religions de ce monde tout est compassé[7], limité et reiglé par heures, feut decreté que là ne seroit horrologe

notes

1. Theleme : en grec, *thélêma* signifie volonté ; dans la Bible : la volonté de Dieu.
2. Bourgueil : riche abbaye d'Anjou.

3. Sainct Florent : abbaye bénédictine, située près de Saumur, réputée pour sa richesse.
4. à mon devis : selon ma devise, mon plan.

Comment Gargantua fit bâtir pour le moine l'abbaye de Thélème

[Chapitre 52]

Il restait seulement le moine à pourvoir. Gargantua voulait le faire abbé de Seuilly, mais il refusa. Il voulut lui donner l'abbaye de Bourgueil ou celle de Saint-Florent, celle qui lui conviendrait le mieux, ou toutes les deux, s'il lui plaisait. Mais le moine
5 lui répondit catégoriquement qu'il ne voulait ni se charger de moines, ni en gouverner :

« Car comment, disait-il, pourrais-je gouverner autrui, moi qui ne sais me gouverner moi-même ? S'il vous semble que je vous aie rendu et que je puisse à l'avenir vous rendre quelque
10 service qui vous soit agréable, accordez-moi de fonder une abbaye à mon idée. »

La requête plut à Gargantua et il offrit tout son pays de Thélème, le long de la Loire, à deux lieues de la grande forêt de Port-Huault. Il demanda à Gargantua de fonder un ordre au
15 rebours de tous les autres.

« Eh bien, en premier lieu, dit Gargantua, il ne faudra pas construire de murailles tout autour, car toutes les autres abbayes sont farouchement murées.

– Oui, dit le moine, et ce ne sera pas sans raison : là où il y a
20 des murs devant et derrière, il y a force murmure, envie, et conspiration mutuelles. »

[...] Et parce que dans les couvents de ce monde, tout est mesuré, limité et réglé par des horaires, on décréta qu'il n'y

notes

5. **religion** : règle d'un ordre religieux.
6. **mutue** : évoque l'idée de réciprocité (mutuelle), mais aussi de silence (muette).

7. **compassé** : réglé au compas, autrement dit avec beaucoup de minutie.

20 ny quadrant aulcun. Mais selon les occasions et oportunitez seroient toutes les œuvres dispensées. Car (disoit Gargantua) la plus vraye perte du temps qu'il sceust, estoit de compter les heures. Quel bien en vient-il? Et la plus grande resverie du monde estoit soy gouverner au son d'une cloche, et non au dicté de bon sens et entende-
25 ment. Item parce qu'en icelluy temps on ne mettoit en religion des femmes, sinon celles que estoient borgnes, boyteuses, bossues, laydes, defaictes[1], folles, insensées, maleficiées[2] et tarées : ny les hommes, sinon catarrez[3], mal nez, niays et empesche de maison[4].

«A propos (dist le moyne), une femme, qui n'est ny belle ny bonne,
30 à quoy vault toille[5]?

– A mettre en religion, dist Gargantua.

– Voyre, dist le moyne, et à faire des chemises.»

Feut ordonné que là ne seroient repceues sinon les belles, bien formées, et bien naturées, et les beaulx, bien formez et bien natu-
35 rez. Item parce que es conventz des femmes ne entroient les hommes sinon à l'emblée et clandestinement : feut decreté que jà ne seroient là les femmes au cas que n'y feussent les hommes, ny les hommes en cas que n'y feussent les femmes. Item, parce que tant hommes que femmes une foys repceuez en religion apres l'an de probation[6]
40 estoient forcez et astrinctz y demeurer perpetuellement leur vie durant, feust establý que tant hommes que femmes là repceuz, sortiroient quand bon leurs sembleroit, franchement et entierement. Item parce que ordinairement les religieux faisoient troys veuz : sçavoir est de chasteté, pauvreté, et obedience, fut constitué
45 que là honorablement on peult estre marié, que chascun feut riche, et vesquist en liberté. […]

notes

1. **defaictes** : affiblies, amaigries, exténuées.
2. **maleficiées** : difformes, mal faites.
3. **catarrez** : atteints de maladie.
4. **empesche de maison** : l'expression désigne les cadets de famille, ceux qui n'ont aucun droit à l'héritage, et se trouvent par conséquent privés de ressource, mais aussi les enfants qui constituent, pour une quelconque raison, un fardeau pour leur famille.
5. **à quoy vault toille** : jeu sur la parenté de prononciation entre : à quoi vaut-elle? et à quoi vaut toile?
6. **probation** : année d'épreuve ou noviciat, à laquelle était astreint tout moine entrant au couvent.

aurait là ni horloge ni cadran. Au contraire toutes les occupa-
25 tions seraient réparties au gré des occasions et des circonstances. Gargantua disait qu'il ne connaissait pas de perte de
temps plus réelle que de compter les heures – quel bien en
retire-t-on? –, et que la plus grande folie du monde, c'était de
se gouverner au son d'une cloche, et non selon ce que dictent
30 le bon sens et l'intelligence.

De même, parce qu'en ce temps-là on ne faisait pas entrer au
couvent d'autres femmes que les borgnes, boiteuses, bossues,
laides, défaites, folles, insensées, difformes et tarées, ni d'autres
hommes que les catarrheux, mal nés, niais, des fardeaux pour la
35 maison…

« À propos, dit le moine, une femme qui n'est ni belle, ni
bonne, à quoi vaut toile?
– À mettre au couvent, dit Gargantua.
– Oui, dit le moine, et à faire des chemises. »
40 On ordonna que seules seraient reçues en ce lieu les belles,
bien formées et d'une heureuse nature et les beaux, bien formés
et d'une heureuse nature.

De même, parce que dans les couvents de femmes, les hommes
n'entraient qu'en cachette et clandestinement, on décréta qu'il
45 n'y aurait pas de femmes si les hommes n'y étaient, ni d'hommes
si les femmes n'y étaient.

De même, parce que les hommes comme les femmes, une fois
reçus en religion étaient, après l'année probatoire, contraints et
forcés d'y demeurer perpétuellement leur vie durant, il fut établi
50 que les hommes comme les femmes qu'on y recevrait sorti-
raient quand bon leur semblerait, avec une entière liberté.

De même, parce que d'ordinaire les religieux faisaient trois
vœux, à savoir de chasteté, de pauvreté et d'obéissance, on insti-
tua pour règle que là on pourrait être marié, en tout bien tout
55 honneur, que tous seraient riches et vivraient en liberté. […]

135

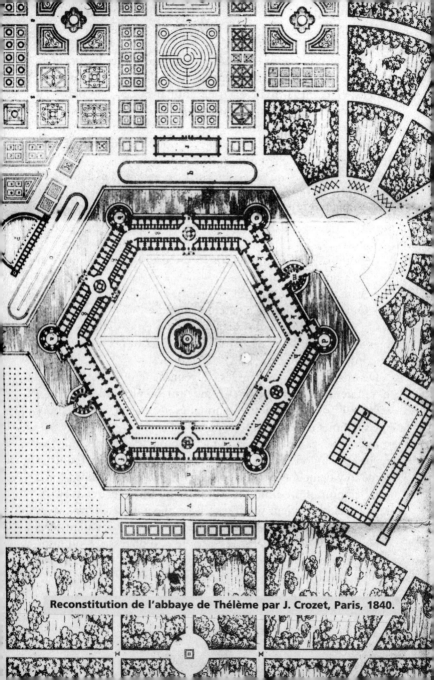

Reconstitution de l'abbaye de Thélème par J. Crozet, Paris, 1840.

« Une abbaye à mon idée »
Lecture analytique du chapitre 52, pp. 132 à 135

Si l'on admet que Rabelais a repris dans son *Gargantua* le schéma narratif* des chansons de geste*, en racontant successivement l'enfance de son héros puis ses exploits guerriers, l'épisode de la construction de l'abbaye de Thélème, récompense accordée au valeureux moine guerrier frère Jean des Entommeures, constitue l'épilogue du récit. Mais la construction de l'abbaye de Thélème est aussi le point d'aboutissement du récit au sens où la construction de cette anti-abbaye marque la fin d'un anti-roman. Cette abbaye peu commune, paradoxale*, construite différemment de toutes les autres, est bien le reflet d'un récit différent de tous les autres.

Le terme de « Thélème » est une invention de Rabelais, et provient d'une expression de l'*Évangile selon Mathieu* traduite en grec dans lequel le mot *« thelema »* désigne la souveraine et libre volonté de Dieu. Le terme grec *« thelema »* désigne donc la volonté, mais son emploi récurrent dans la Bible l'amène à désigner la volonté de Dieu. Il s'agit donc d'une abbaye qui serait, plus que les autres, construite selon la volonté divine.

Notons enfin que cette réalisation architecturale, conçue en guise d'épilogue, doit se comprendre dans un contexte historique très précis : celui d'une politique de grands travaux menée par le roi François Ier, et qui aboutira à la construction des châteaux de la Loire, celui de Chambord en particulier.

L'extrait proposé nous permet d'analyser pourquoi la construction de cette abbaye et les règles de fonctionnement qui sont les siennes constituent une critique du clergé, et notamment du clergé régulier ; elle nous permet aussi d'aborder le thème de l'utopie.

* *Cf.* Lexique.

Le dialogue dans le récit

Contrairement à l'auteur de théâtre, le romancier dispose de plusieurs moyens pour faire parler ses personnages. Il peut rapporter en effet leurs propos selon différents types de discours : discours entièrement narrativisé*, discours direct*, indirect* ou indirect libre*. Le romancier peut donc exploiter au sein de son récit les ressources du dialogue pour donner de la vivacité à son texte, pour le théâtraliser ou encore pour caractériser des personnages. Le dialogue se définit par l'alternance régulière de différents locuteurs* et permet de conférer une certaine légèreté au texte romanesque. Peuvent alors s'inscrire dans le roman de véritables scènes de théâtre où l'auteur peut à la fois présenter ses personnages, leur donner la parole et commenter leurs propos. La difficulté est alors de donner une cohérence et une unité à des types de textes différents : narratifs, descriptifs et dialogués.

❶ Selon quel type de discours les propos de Gargantua et de frère Jean sont-ils rapportés par le narrateur ?

❷ Analysez le dialogue entre Gargantua et frère Jean. En quoi leur convergence de vues est-elle perceptible ?

❸ Pourquoi ce dialogue produit-il un effet comique ?

❹ Étudiez la construction d'ensemble de l'extrait. Qu'en concluez-vous quant à la fonction du dialogue ?

❺ À quoi tient l'unité entre les passages de récit et de discours dans cet extrait ?

La satire* religieuse

La question religieuse demeure toujours, pour un écrivain, un terrain délicat à aborder, et cela d'autant plus lorsqu'il vit sous le régime d'une monarchie absolue de droit divin dans laquelle la religion fonde la légitimité du pouvoir. Rabelais était mieux placé que quiconque pour le savoir, lui qui dut affronter les foudres de la censure. Bien avant lui, Socrate, le grand philosophe d'Athènes qu'il évoque dans son prologue, avait été condamné à mort pour révérer d'autres dieux que les dieux de

* *Cf.* Lexique.

la cité. Parler de la religion, *a fortiori* pour la critiquer, réclame donc une certaine habileté de la part d'un auteur. Les auteurs du siècle des Lumières*, comme Montesquieu ou Voltaire, adopteront la stratégie de la naïveté et du dépaysement. Le premier, dans ses *Lettres Persanes*, critique bien le clergé français, mais il le fait à travers le regard de deux étrangers qui ne connaissent rien à la réalité d'un pays qu'ils découvrent. Voltaire, quant à lui, s'il évoque les crimes de l'Inquisition dans *Candide*, l'effectue dans le cadre d'un conte.

La satire religieuse ne peut donc qu'être indirecte, implicite*, si tant est que l'auteur veuille conserver quelque chance de voir son livre publié. Un des procédés* les plus fréquemment utilisés dans ce type de textes est l'ironie*, qui, au second degré, opère une critique à l'encontre d'une réalité que l'on veut dénoncer. Une des caractéristiques les plus fréquentes de l'ironie réside dans le procédé de l'antiphrase, qui consiste à dire le contraire de ce que l'on pense, tout en laissant entendre ce que l'on pense vraiment.

.... **La « contre-abbaye » de Thélème** ....

❻ Quel personnage édicte le règlement de l'abbaye ? Pourquoi un tel choix de la part de Rabelais ?

❼ En quoi les règles de l'abbaye s'opposent-elles aux règles habituelles de la vie monastique ?

❽ Quelle formule, quelle règle pourrait selon vous résumer l'abbaye de Thélème ?

.... **Les procédés de la satire*** ....

❾ Par quels procédés la satire religieuse s'exprime-t-elle ici ?

❿ Quelle est, selon vous, la fonction de cette satire ?

⓫ Quelle conception de la nature humaine est inscrite dans les règles de l'abbaye ?

* *Cf.* Lexique.

L'écriture de l'utopie

Lectures croisées et travaux d'écriture

Le terme d'utopie est un mot inventé par l'humaniste anglais, Thomas More, à partir de deux mots grecs : l'adverbe de négation « ou » et le substantif « topos », qui désigne le lieu. Étymologiquement, le terme d'utopie signifie donc « lieu qui n'existe pas » ou « qui n'a pas de lieu existant ». Par extension, le terme se comprend au sens d'un idéal philosophique, social ou politique qui ne tient pas compte de la réalité.

À cet égard, on peut dire que la réflexion sur l'utopie est bien antérieure à celle de Thomas More et aux humanistes de la Renaissance. Platon, dans sa *République*, lorsqu'il décrit un système politique idéal, dans le *Critias* où nous est présenté le fameux mythe de l'Atlantide, nous délivre déjà à sa façon une vision utopique.

De fait, l'utopie semble étroitement liée à la philosophie politique au sens où tout tableau d'une société idéale contient, de façon implicite* ou explicite, une réflexion sur les travers d'une société, d'un système politique, à un moment donné de l'histoire. L'utopie revêt donc une dimension critique. Dans certains cas même, comme le montrera le texte d'Orwell, l'utopie incarne tout le contraire d'un idéal à rechercher : elle ne fait qu'anticiper l'horrible destin vers lequel une époque réelle et présente semble inexorablement plonger.

Thomas More, *Utopie*

Ami d'Érasme, qui lui dédia son Éloge de la folie, *Thomas More (1478-1535) incarne une des figures emblématiques de l'humanisme. Son œuvre intitulée* Utopie, *parue à Louvain en 1516, décrit « la meilleure des républiques », celle qui se trouve dans l'île d'Utopie. Ce livre, que l'auteur présente comme « une bagatelle échappée à l'insu de sa plume », rencontra dès sa publication une audience exceptionnelle.*

* Cf. Lexique.

L'île a cinquante-quatre villes, grandes et belles, identiques par la langue, les mœurs, les institutions et les lois. Elles sont toutes bâties sur le même plan et ont le même aspect, dans la mesure où le site le permet. La distance de l'une à l'autre est au minimum de vingt-quatre milles ; elle n'est jamais si grande qu'elle ne puisse être franchie en un jour de marche.

Chaque ville envoie chaque année en Amaurote[1] trois vieillards ayant l'expérience des affaires, afin de mettre les intérêts de l'île en délibération. Située comme à l'ombilic de l'île[2], d'un accès facile pour tous les délégués, cette ville est considérée comme une capitale.

Les champs sont si bien répartis entre les cités que chacune a au moins douze milles de terrain autour d'elle et parfois davantage, si la distance est plus grande entre elle et la voisine. Aucune ne cherche à étendre son territoire, car les habitants s'en considèrent comme les fermiers plutôt que comme les propriétaires.

Ils ont à la campagne, au milieu des champs, des demeures bien situées en des lieux choisis, équipées de tous les instruments aratoires[3]. Les citadins y viennent habiter à tour de rôle. Un ménage agricole se compose d'au moins quarante personnes, hommes et femmes, sans compter deux serfs attachés à la glèbe[4]. Un homme et une femme, gens sérieux et expérimentés, servent de père ou de mère à tout ce monde. Trente ménages élisent un phylarque[5]. Dans chaque ménage, vingt personnes chaque année retournent en ville après avoir passé deux ans à la campagne. Elles sont remplacées par autant de citadins. Ceux-ci sont instruits par les colons installés depuis un an et déjà au courant des choses de la terre. Ils serviront à leur tour d'instructeurs l'année suivante, car le ravitaillement ne doit pas souffrir de l'inexpérience de nouveaux venus. Ce roulement a été érigé en règle pour n'obliger personne à mener trop longtemps, contre son gré, une existence trop dure. Beaucoup cependant demandent à rester davantage parce qu'ils aiment la vie des champs.

Thomas More, *Utopie*, 1516, Flammarion, trad. Marie Delcourt.

1. Amaurote : nom de la capitale de l'île d'Utopie. **2. à l'ombilic de l'île :** au centre de l'île ; l'ombilic est un synonyme de nombril. **3. instruments aratoires :** instruments pour cultiver la terre. **4. serfs attachés à la glèbe :** le serf est un paysan qui appartient à son seigneur, il est attaché à la glèbe, c'est-à-dire à la terre qu'il cultive. **5. phylarque :** le terme désigne le président d'une tribu à Athènes.

＊ *Cf. Lexique.*

Marivaux, *L'Île des esclaves*

Marivaux (1688-1763), de son vrai nom Pierre Carlet, écrit L'Île des esclaves, *comédie en un seul acte, en 1725. Euphrosine et sa suivante Cléanthis, Iphicrate et son valet Arlequin ont échoué sur l'île des Esclaves, à la suite du naufrage de leur embarcation. Apparaît alors le personnage de Trivelin, le maître de l'île, qui explique aux nouveaux arrivants les règles de vie qui prévalent sur ce nouveau territoire.*

Trivelin

[...] Quand nos pères, irrités de la cruauté de leurs maîtres, quittèrent la Grèce et vinrent s'établir ici, dans le ressentiment des outrages qu'ils avaient reçus de leurs patrons, la première loi qu'ils y firent fut d'ôter la vie à tous les maîtres que le hasard ou le naufrage conduirait dans leur île, et conséquemment de rendre la liberté à tous les esclaves : la vengeance avait dicté cette loi ; vingt ans après, la raison l'abolit et en dicta une plus douce. Nous ne nous vengeons plus de vous, nous vous corrigeons ; ce n'est plus votre vie que nous poursuivons, c'est la barbarie de vos cœurs que nous voulons détruire ; nous vous jetons dans l'esclavage pour vous rendre sensibles aux maux qu'on y éprouve ; nous vous humilions, afin que, nous trouvant superbes[1], vous vous reprochiez de l'avoir été. Votre esclavage, ou plutôt votre cours d'humanité, dure trois ans, au bout desquels on vous renvoie, si vos maîtres sont contents de vos progrès ; et si vous ne devenez pas meilleurs, nous vous retenons par charité pour les nouveaux malheureux que vous iriez faire encore ailleurs, et par bonté pour vous, nous vous marions avec une de nos citoyennes. Ce sont là nos lois à cet égard ; mettez à profit leur rigueur salutaire, remerciez le sort qui vous conduit ici, il vous remet en nos mains dures, injustes, et superbes ; vous voilà en mauvais état, nous entreprenons de vous guérir ; vous êtes moins nos esclaves que nos malades, et nous ne prenons que trois ans pour vous rendre sains, c'est-à-dire humains, raisonnables et généreux pour toute votre vie.

Marivaux, L'Île des esclaves, acte I, scène 2, 1725.

1. superbes : l'adjectif doit se comprendre dans son sens étymologique d'orgueilleux.

George Orwell, *1984*

Dans 1984, *ouvrage écrit au lendemain de la Seconde Guerre mondiale, George Orwell (1903-1950) fait la description d'une société totalitaire située à Océania.* «Big Brother», *dont l'image est partout présente, en est le dirigeant et le maître inaccessible. Travaillant aux archives, le héros Winston fait la rencontre de Syme qui, chargé de rédiger le dictionnaire du* «novlangue», *tente de le convaincre des avantages de celui-ci.*

C'est une fort belle chose, la destruction des mots. Naturellement, c'est dans les verbes et les adjectifs qu'il y a le plus de déchets, mais il y a des centaines de noms dont on peut aussi se débarrasser. Pas seulement les synonymes, il y a aussi les antonymes. Après tout, quelle raison d'exister y a-t-il pour un mot qui n'est que le contraire d'un autre? Les mots portent en eux-mêmes leur contraire. Prenez «bon», par exemple. Si vous avez un mot comme «bon», quelle nécessité y a-t-il à avoir un mot comme «mauvais»? «Inbon» fera tout aussi bien, mieux même. [...] Et si l'on désire un mot plus fort que «bon», quel sens y a-t-il à avoir toute une chaîne de mots vagues et inutiles comme «excellent», «splendide» et tout le reste? «Plusbon» englobe le sens de tous ces mots, et, si l'on veut un mot encore plus fort, il y a doubleplusbon. [...] Naturellement, ajouta-t-il après coup, l'idée vient de Big Brother. [...] Ne voyez-vous pas que le véritable but du novlangue est de restreindre les limites de la pensée? À la fin, nous rendrons littéralement impossible le crime par la pensée[1] car il n'y aura plus de mots pour l'exprimer. [...] Chaque année, de moins en moins de mots, et le champ de la conscience de plus en plus restreint. Il n'y a plus, dès maintenant, c'est certain, d'excuse ou de raison au crime par la pensée. C'est simplement une question de discipline personnelle, de maîtrise de soi-même. Mais même cette discipline sera inutile en fin de compte. La Révolution sera complète quand le langage sera parfait.

George Orwell, *1984*, Gallimard, 1949, trad. A. Audiberti.

1. crime par la pensée: en Océania, lorsqu'un individu, dans ses pensées, ose s'opposer au système instauré par Big Brother, il est considéré comme le plus dangereux criminel.

Corpus

Texte A: Chapitre 52 du *Gargantua* de François Rabelais (pp. 132 à 135).
Texte B: Extrait de *Utopie* de Thomas More (pp. 140-141).
Texte C: Extrait de l'acte I, scène 2 de *L'Île des esclaves* de Marivaux (p. 142).
Texte D: Extrait de *1984* de George Orwell (p. 143).

Examen des textes

❶ Identifiez les indices spatio-temporels présents dans les textes A, B et C. Que faut-il alors en conclure, notamment quant aux caractères des différents lieux ?

❷ Relevez le lexique appréciatif (c'est-à-dire l'ensemble des termes mélioratifs*) présent dans les quatre textes. Quels procédés* de mise en valeur ont-ils en commun ?

❸ Relevez dans les textes B et C les références à l'Antiquité. Ont-elles la même fonction ?

❹ Identifiez, dans chacun des textes, les références, implicites* ou non, à la société ou l'époque dans laquelle vit l'auteur. Peut-on constater une évolution dans les thèmes abordés ?

❺ En vous appuyant sur la définition de l'utopie, montrez en quoi il serait pertinent de parler, s'agissant du texte D, d'une « contre-utopie » ?

Travaux d'écriture

Question préliminaire
La description d'une société utopique a-t-elle la même fonction dans les quatre textes proposés ?

Commentaire
Vous ferez un commentaire composé du texte de Marivaux.

Dissertation
Stendhal a écrit : « *Toute œuvre d'art est un beau mensonge* ». Vous discuterez cette affirmation, en réfléchissant notamment sur la fonction de l'utopie en littérature.

Écriture d'invention
Sur le modèle du texte de Thomas More, vous rédigerez, en justifiant vos choix par des arguments, la constitution d'une société idéale.

* *Cf.* Lexique.

Saline royale d'Arc-et-Senans, réalisée par l'architecte Claude-Nicolas Ledoux vers les années 1775. Cette construction visionnaire fut la première pierre d'un projet plus vaste et ambitieux que Ledoux ne put jamais concrétiser. Dressant les plans d'une ville idéale, il s'efforça de mettre l'architecture au service de la morale, en vue d'établir une société utopique interdisant, au nom d'un principe d'ordre et d'harmonie, toute forme d'oisiveté (qui est, selon le proverbe, «mère de tous les vices»).

Comment estoient reiglez les Thelemites à leur maniere de vivre

[Chapitre 57]

Toute leur vie estoit employée non par loix, statuz ou reigles mais selon leur vouloir et franc arbitre[1]. Se levoient du lict quand bon leur sembloit : beuvoient, mangeoient, travailloient, dormoient quand le desir leur venoit. Nul ne les esveilloit, nul ne les parfor-
5   ceoit ny à boyre, ny à manger, ny à faire chose aultre quelconques. Ainsi l'avoit estably Gargantua. En leur reigle n'estoit que ceste clause : Fay ce que vouldras. Par ce que gens liberes, bien nez[2], bien instruictz, conversans[3] en compaignies honnestes[4] ont par nature un instinct, et aguillon, qui tousjours les poulse à faictz ver-
10   tueux, et retire de vice, lequel ilz nommoient honneur. Iceulx quand par vile subjection et contraincte sont deprimez et asserviz, detournent la noble affection[5], par laquelle à vertuz franchement[6] tendoient, à deposer et enfraindre ce joug de servitude. Car nous entreprenons tousjours choses defendues et convoitons ce que
15   nous est denié[7].

Par ceste liberté entrerent en louable emulation de faire tous ce que à un seul voyoient plaire. Si quelq'un ou quelcune disoit : « Beuvons », tous buvoient ; si disoit : «Jouons », tous jouoient. Si disoit : «Allons à l'esbat[8] es champs », tous y alloient. Si c'estoit pour

Quelles règles suivaient les Thélémites dans leur manière de vivre

[Chapitre 57]

Toute leur vie était organisée non par des lois, par des statuts ou des règles, mais selon leur gré et leur libre volonté. Ils se levaient du lit quand bon leur semblait, buvaient, mangeaient, travaillaient, dormaient, quand le désir leur en venait. Personne
5 ne les éveillait, personne ne les forçait à boire ou à manger ou à faire quoi que ce soit. Ainsi en avait décidé Gargantua. Leur règle ne comportait que cette clause :

Fais ce que tu voudras,

parce que les gens libres, bien nés, bien formés, vivant en bonne
10 société, ont naturellement un instinct, un aiguillon qu'ils appellent honneur et qui les pousse toujours à la vertu et les éloigne du vice. Quand ils sont opprimés et asservis par une vile sujétion et par la contrainte, ils emploient à déposer et enfreindre ce joug de servitude la noble ardeur qui, si on les avait laissés libres,
15 les faisait aspirer à la vertu, car nous entreprenons toujours ce qui est défendu, et convoitons ce qu'on nous refuse.

Grâce à cette liberté, ils se mirent tous à vouloir faire, avec une louable émulation, ce qu'ils voyaient plaire à un seul. Si l'un ou l'une d'entre eux disait : «Buvons», tous buvaient. Si l'on disait :
20 «Jouons», tous jouaient. Si l'on disait : «Allons nous amuser aux

notes

7. [...] **denié** : allusion à un proverbe latin et français : «chose défendue est la plus désirée».

8. **esbat** : amusement ; par extension désigne des jeux amoureux.

20 voller[1] ou chasser, les dames montées sus belles hacquenées[2] avecques leurs palefroy gourrier[3] sus le poing mignonement enguantelé portoient chascune, ou un esparvier, ou un laneret[4], ou un esmerillon[5] : les hommes portoient les aultres oyseaulx.

Tant noblement estoient apprins, qu'il n'estoit entre eulx celuy, 25 ne celle qui ne sceust lire, escripre, chanter, jouer d'instrumens harmonieux, parler de cinq et six langaiges, et en iceulx composer tant en carme[6], que en oraison solue[7].

Jamais ne feurent veuz chevaliers tant preux, tant gualans, tant dextres à pied, et à cheval, plus vers, mieulx remuans, mieulx manians 30 tous bastons[8], que là estoient. Jamais ne feurent veues dames tant propres, tant mignonnes, moins fascheuses[9], plus doctes à la main, à l'agueille, à tout acte muliebre[10] honneste et libere, que là estoient.

Par ceste raison quand le temps venu estoit que aulcun d'icelle abbaye, ou à la requeste de ses parens, ou pour aultres causes vou- 35 lust issir hors, avecques soy il emmenoit une des dames, celle laquelle l'auroit prins pour son devot[11], et estoient ensemble mariez. Et si bien avoient vescu à Theleme en devotion et amytié : encores mieulx la continuoient ilz en mariaige, d'autant se entreaymoient ilz à la fin de leurs jours comme le premier de leurs nopces. […]

notes

1. **voller** : chasser avec des oiseaux de proie.
2. **hacquenées** : chevaux faciles à monter, réservés aux femmes et hommes d'Église.
3. **palefroy gourrier** : élégants chevaux de promenade.
4. **laneret** : mâle du faucon.
5. **esmerillon** : autre variété de faucon, plus petit cependant.
6. **carme** : formé sur le latin *carmen* et signifiant poésie, vers.

7. **oraison solue** : désigne ici la prose, par opposition à la poésie (carme).
8. **bastons** : désigne tout type d'armes offensives.
9. **fascheuses** : importunes, ennuyeuses.
10. **muliebre** : formé sur le latin *muliebris* et signifiant : qui caractérise la femme.
11. **devot** : homme dévoué ; dévotion est à comprendre ici au sens de dévouement.

champs », tous y allaient. Si c'était pour chasser au vol ou à courre, les dames, montées sur de belles haquenées, avec leur fringant palefroi, portaient chacune sur leur poing joliment ganté un épervier, un lanier ou un émerillon ; les hommes por-
25 taient les autres oiseaux.

Ils avaient été si noblement instruits qu'il n'y avait aucun d'entre eux qui ne sût lire, écrire, chanter, jouer d'instruments de musique, parler cinq ou six langues, et composer tant en vers qu'en prose dans ces langues. Jamais on ne vit de chevaliers si
30 preux, si élégants, si habiles à pied et à cheval, plus vigoureux, plus vifs et maniant mieux les armes que ceux qui étaient là. Jamais on ne vit de dames si élégantes, si mignonnes, moins grincheuses, plus adroites de leurs mains, plus habiles aux tra- vaux d'aiguille et à toute occupation digne d'une femme noble
35 et libre que celles qui étaient là.

C'est pourquoi, quand le temps était venu pour l'un de ceux qui vivaient là de quitter l'abbaye, à la demande de ses parents ou pour toute autre raison, il emmenait avec lui une des dames, celle qui en avait fait son chevalier servant, et on les mariait
40 ensemble. Et l'affection et l'amitié qu'ils avaient éprouvées en vivant à Thélème se renforçaient mieux encore dans le mariage : ils s'aimaient tout autant à la fin de leur vie qu'au premier jour des noces. [...]

Frontispice de la première édition connue de *Pantagruel*
publiée par Claude Nourry en 1532.

Pantagruel

François Rabelais

De l'origine et antiquité du grand Pantagruel

[Chapitre 1]

Ce ne sera chose inutile ne oysifve, veu que sommes de sejour, vous ramentevoir la premiere source et origine dont nous est né le bon Pantagruel. Car je voy que tous bons hystoriographes[1] ainsi ont traicté leurs Chronicques, non seullement les Arabes, Barbares et Latins, mais aussi Gregoys, Gentilz, qui furent buveurs eternelz. Il vous convient doncques noter que, au commencement du monde (je parle de loing, il y a plus de quarante quarantaines de nuyctz, pour nombrer à la mode des antiques Druides) peu après que Abel fust occis par son frere Caïn[2], la terre embue du sang du juste fut certaine année si tres fertile en tous fruictz qui de ses flans nous sont produytz, et singulierement en Mesles[3], que on l'appella de toute memoire l'année des grosses Mesles : car les troys en faisoyent le boysseau[4]. [...]

Faictes vostre compte que le monde voluntiers mangeoit desdites mesles, car elles estoient belles à l'œil et delicieuses au goust[5]. Mais tout ainsi comme Noë le sainct homme (auquel tant sommes obligez et tenuz de ce qu'il nous planta la vine[6], dont nous vient celle nectaricque, delicieuse, precieuse, celeste, joyeuse et deïficque liqueur, qu'on nomme le piot) fut trompé en le beuvant, car il ignoroit la grande vertu et puissance d'icelluy, semblablement les hommes et femmes de celluy temps mangeoyent en grand plaisir de ce beau et gros fruict, mais accidens bien divers leurs en advindrent. Car à

notes

1. hystoriographes : individus dont la fonction officielle consiste à écrire l'histoire de leur temps. Ainsi, le narrateur n'hésite pas, pour convaincre le lecteur de la réalité de son récit, à se faire l'héritier d'une longue tradition. D'entrée de jeu, il s'installe dans une parodie.

2. Caïn : dans la *Genèse*, Abel et Caïn sont les deux fils d'Adam. Le second tue le premier par jalousie et commet le premier meurtre de l'humanité.
3. Mesles : fruits comestibles du néflier. Contrairement à ce que dit la *Genèse* où le péché originel condamne la terre à la stérilité, cette terre devient ici fertile grâce au sang versé.

De l'origine et antique lignage du grand Pantagruel

[Chapitre 1]

Il ne sera pas inutile ou superflu, vu que nous en avons le temps, de vous rappeler l'origine première et l'ascendance du bon Pantagruel. Car je vois que tous les bons historiographes ont ainsi composé leurs chroniques, non seulement les Arabes, les
5 Barbares et les Latins, mais aussi les Grecs, les Païens qui furent des buveurs éternels. Il vous faut donc noter qu'au commencement du monde (je remonte loin, il y a plus de quarante quarantaines de nuits, pour compter à la manière des anciens Druides) peu après qu'Abel ait été tué par son frère Caïn, la terre, imbibée
10 du sang du juste, fut, une certaine année si fertile en tous fruits qui en ses flancs nous sont produits, et, tout particulièrement en nèfles que, de toute éternité, on l'appela l'année des grosses nèfles : il suffisait de trois en effet pour emplir un boisseau. […]
Vous imaginez bien que les gens mangeaient volontiers de ces
15 nèfles, car elles étaient belles à regarder et d'un goût délicieux. Mais, tout comme Noé le saint homme (auquel nous avons tant d'obligation et de reconnaissance pour nous avoir planté la vigne d'où nous vient ce nectar, cette délicieuse, précieuse, céleste, joyeuse et divine liqueur qu'on nomme le pinard) fut trompé en
20 le buvant, car il ignorait combien grande était sa vertu et sa puissance, de même les hommes et les femmes de ce temps mangeaient avec grand plaisir de ce beau et gros fruit.

notes

4. **boysseau** : ancienne mesure de capacité valant environ dix litres.
5. **belles à l'œil et delicieuses au goust** : dans la *Genèse*, c'est l'arbre de la connaissance du bien et du mal, qui est « bon à manger et agréable à la vue ».

6. **la vine** : dans la *Genèse*, à peine échappé du Déluge grâce à sa célèbre arche, Noë commence en effet à planter la vigne et à s'enivrer de vin. Ce pourquoi peut-être, aux yeux du narrateur, il est tenu pour un « sainct homme » !

tous survint au corps une enfleure très horrible, mais non à tous en un mesme lieu. Car aulcuns enfloyent par le ventre […]. Les autres enfloyent par les espaules, et tant estoyent bossus qu'on les appel-
25 loit *montifères*[1], comme *porte montaignes*, dont vous en voyez encores par le monde en divers sexes et dignités. […]

Les aultres enfloyent en longueur par le membre[2], qu'on nomme le laboureur de nature : en sorte qu'ilz le avoyent merveilleusement long, grand, gras, gros, vert, et acresté[3], à la mode antique, si bien
30 qu'ilz s'en servoyent de ceinture, le redoublans à cinq ou à six foys par le corps. Et s'il advenoit qu'il feust en poinct et eust vent en pouppe[4], à les veoir eussiez dict que c'estoyent gens qui eussent leurs lances en l'arrest pour jouster à la quintaine[5]. Et d'yceulx est perdue la race, ainsi comme disent les femmes. Car elles lamentent
35 continuellement qu'

Il n'en est plus de ces gros, etc.

vous sçavez la reste de la chanson. Aultres croissoient en matiere de couilles si enormement, que les troys emplissoient bien un muy[6]. D'yceulx sont descendues les couilles de Lorraine, lesquelles jamays
40 ne habitent en braguette, elles tombent au fond des chausses[7]. […]

Les aultres croissoyent en long du corps : et de ceulx là sont venuz les Geans,

Et par eulx Pantagruel[8] ; […]

J'entens bien que, lysans ce passaige, vous faictez en vous mesmes
45 un doubte bien raisonnable. Et demandez comment est il possible que ainsi soit […].

Avés vous bien le tout entendu ? Beuvez donc un bon coup sans eaue. Car, si ne le croiez, non foys je, fist elle.

notes

1. *montifères* : terme, inventé par Rabelais, signifiant « qui porte les montagnes ».
2. **membre** : il s'agit du sexe de l'homme.
3. **acresté** : dressé comme la crête d'un coq.
4. **eust […] pouppe** : eût bénéficié de vent arrière. Sens figuré : être favorisé par les circonstances.

5. **jouster à la quintaine** : s'exercer à la lance sur un mannequin auquel l'on donne une forme humaine.
6. **muy** : ancienne mesure de capacité valant environ 260 litres.
7. **chausses** : vêtement recouvrant à la fois le pied et la jambe.

Mais il leur arriva des accidents bien divers : tous furent atteints d'enflures très horribles, mais chacun à un endroit différent. Car certains enflaient du ventre [...]. D'autres enflaient des épaules et ils devenaient tellement bossus qu'on les appelait montifères, c'est-à-dire porte-montagnes. Vous en voyez encore de par le monde en divers sexes et diverses classes [...].

D'autres encore enflaient, en longueur, du membre qu'on nomme le laboureur du champ de nature de telle sorte qu'ils l'avaient prodigieusement long, grand, gras, gros, vert et dressé à la mode antique si bien qu'ils s'en servaient de ceinture, s'en entourant cinq ou six fois le corps.

Et s'il advenait qu'il fût en forme et eût le vent en poupe, à les voir vous auriez dit que ces gens tenaient leurs lances à l'arrêt pour jouter à la quintaine. Et de ces hommes là la race s'est perdue, comme disent les femmes, car elles se lamentent continuellement, disant que

Il n'en est plus de ces gros, etc.

vous savez le reste de la chanson. D'autres voyaient leurs couilles prendre de si énormes proportions qu'avec trois on emplissait bien un muid. C'est d'eux que descendent les couilles de Lorraine qui ne restent jamais dans la braguette : elles tombent au fond des chausses. [...]

Chez d'autres, c'est le corps qui s'allongeait, et c'est d'eux que sont venus les Géants,

Et par eux Pantagruel ; [...]

Je me doute bien qu'en lisant ce passage vous vous posez des questions, à juste titre, et vous demandez comment il se peut qu'il en soit ainsi [...].

Avez-vous bien tout compris ? Buvez donc un bon coup, et sec. Car si vous ne le croyez pas, moi non plus, dit la chanson.

note

8. Et par eulx Pantagruel : une telle généalogie tourne en dérision celles que l'on trouve dans la Bible et celles relatives aux dieux grecs et romains.

De la nativité du très redoubté Pantagruel

[Chapitre 2]

Gargantua en son eage de quatre cens quatre vingtz quarante et quatre ans engendra son filz Pantagruel de sa femme, nommée Badebec, fille du roy des Amaurotes en Utopie[1], laquelle mourut du mal d'enfant, car il estoit si merveilleusement grand et si lourd,
5 qu'il ne peut venir à lumiere sans ainsi suffocquer sa mere.

Mais, pour entendre pleinement la cause et raison de son nom qui luy feut baillé en baptesme, vous noterez qu'en icelle année fut seicheresse tant grande en tout le pays de Africque que passerent XXXVI moys, troys sepmaines, quatre jours, treze heures, et quelque
10 peu dadvantaige, sans pluye, avec chaleur de soleil si vehemente que toute la terre en estoit aride.

[...] un jour de vendredy que tout le monde s'estoit mis en devotion, et faisoit une belle procession avecques forces letanies et beaux preschans[2], supplians à Dieu omnipotent les vouloir regarder de son
15 œil de clemence en tel desconfort, visiblement furent veues de terre sortir grosses gouttes d'eaue, comme quand quelque personne sue copieusement. [...] Et parce que en ce propre jour[3] nasquit Pantagruel, son pere luy imposa tel nom. Car *panta* en grec vault autant à dire comme *tout*, et *gruel* en langue Hagarene[4] vault autant
20 comme *altéré*, voulent inferer que à l'heure de sa nativité le monde

notes

1. Utopie : allusion à l'ouvrage de Thomas More, intitulé *Utopia*, « utopie » étant le nom d'un pays imaginaire, idéalisé. Selon l'étymologie grecque, ce terme signifie « en aucun lieu ». Au XVIe siècle, ce terme n'a pas encore reçu le sens actuel qui se rapporte davantage à ce qui paraît impossible à réaliser, chimérique.

2. forces letanies et beaux preschans : les litanies sont des prières en forme de supplications répétitives. En un sens figuré, une litanie est une énumération aussi longue qu'ennuyeuse. Rabelais s'en prend aux rituels religieux, prières, cérémonies, processions... lorsque ceux-ci sont faits et réglés comme de pures formalités.

De la nativité du très redouté Pantagruel

[Chapitre 2]

Gargantua, à l'âge de quatre cent quatre vingt quarante quatre ans engendra son fils Pantagruel que lui donna sa femme, nommée Badebec, fille du roi des Amaurotes en Utopie. Elle mourut en accouchant, car il était si prodigieusement grand et
5 lourd qu'il ne put venir au monde sans étouffer sa mère.

Mais pour comprendre tout à fait la cause et la raison de son nom de baptême, vous remarquerez que, cette année-là, la sécheresse fut si grande dans tout le pays d'Afrique qu'il se passa trente-six mois, trois semaines, quatre jours, treize heures et un
10 peu plus, sans pluie, tandis que le soleil répandait une chaleur si ardente que toute la terre en était aride.

[…] Un vendredi, où tout le monde s'était mis en dévotion et faisait une belle procession avec force litanies et beaux chants d'église, suppliant Dieu tout-puissant de bien vouloir tourner
15 son regard clément vers une telle détresse, on vit visiblement sortir de terre de grosses gouttes d'eau, comme lorsque quelqu'un sue abondamment. […] Et parce que c'est ce jour même que naquit Pantagruel, son père lui donna ce nom, car *panta* en grec, signifie *tout* et *gruel* en langage mauresque signifie *altéré*,
20 voulant indiquer par là qu'à l'heure de sa nativité le monde était tout altéré, et voyant, par esprit prophétique, qu'il dominerait un jour les altérés, ce qui lui fut montré à cette heure même par un autre signe plus évident.

---

notes

3. parce que en ce propre jour : comparable à celle d'un saint ou d'un héros, la naissance de Pantagruel se distingue par l'apparition de prodiges.

4. Hagarene : mauresque. Terme issu du latin *mauriscus* signifiant « noirâtre ». Les Maures étaient les habitants de Mauritanie, région du nord de l'Afrique.

estoit tout alteré[1]. Et voyant, en esperit de prophetie qu'il seroit quelque jour dominateur des alterez, ce que luy fut monstré à celle heure mesmes par aultre signe plus evident.

Car, alors que sa mere Badebec l'enfantoit, et que les sages femmes
25 attendoyent pour le recepvoir, yssirent premier de son ventre soixante et huyt tregeniers[2], chascun tirant par le licol[3] un mulet tout chargé de sel, après lesquelz sortirent neuf dromadaires chargés de jambons et langues de beuf fumées, sept chameaulx chargez d'anguillettes, puis. XXV. charretées[4] de porreaulx, d'aulx[5], d'oignons et de
30 cibotz, ce que espoventa bien lesdictes saiges femmes [...].

1. alteré : assoiffé. Rappelons que Pantagruel, au Moyen Âge, représente un petit diable doué du pouvoir d'assoiffer à sa guise les hommes en leur jetant du sel dans la gorge. L'étymologie fantaisiste du nom de Pantagruel (« tout assoiffé ») se justifiera, dans la suite du récit, lorsque ce dernier deviendra le roi des Dipsodes (« les assoiffés »).

2. tregeniers : personnes chargées de conduire les mulets.

3. licol : lien mis autour du cou de la bête.

4. charretée : contenu d'une charrette.

5. aulx : pluriel d'ail.

Car, alors que sa mère Badebec l'enfantait et que les sages-
femmes attendaient pour le recevoir, sortirent d'abord de son
ventre soixante-huit muletiers, tirant chacun par le licol un mulet
tout chargé de sel. Après quoi, apparurent neuf dromadaires chargés de jambons et de langues de bœuf fumées, sept chameaux
chargés de petites anguilles, puis vingt-cinq charretées de poi-
reaux, d'aulx, d'oignons et de ciboules : ce qui épouvanta bien les
dites sages-femmes […].

Du dueil que mena Gargantua de la mort de sa femme Badebec

[Chapitre 3]

Quand Pantagruel fut né, qui fut bien esbahy et perplex, ce fut Gargantua son pere, car voyant d'un cousté sa femme Badebec morte, et de l'aultre son filz Pantagruel né tant beau et tant grand, ne sçavoit que dire ny que faire. Et le doubte que troubloit son entende-
5 ment estoit, assavoir s'il devoit plorer pour le dueil de sa femme, ou rire pour la joye de son filz. D'un costé et d'aultre il avoit argumens sophisticques[1] qui le suffocquoyent, car il les faisoit très bien *in modo et figura*[2], mais il ne les povoit souldre. Et par ce moyen demouroit empestré comme la souriz empeigée ou un milan[3] prins au lasset.

10 «Pleureray je ? disoit il. Ouy, car pourquoy ? Ma tant bonne femme est morte, qui estoit la plus cecy, la plus cela, qui feust au monde. Jamais je ne la verray, jamais je n'en recouvreray une telle : ce m'est une perte inestimable. O mon Dieu, que te avoys je faict pour ainsi me punir ? Que ne envoyas tu la mort à moy premier que à elle, car
15 vivre sans elle ne m'est que languir ? Ha, Badebec, ma mignonne, m'amye, mon petit con (toutesfois elle en avait bien troys arpens et deux sexterées[4]) ma tendrette, ma braguette, ma savate, ma pantofle, jamais je ne te verray[5] ! Ha pauvre Pantagruel tu as perdu ta bonne mere, ta doulce nourrisse, ta dame très aymée. Ha faulce mort,

notes

1. sophisticques : dans l'Antiquité grecque, les sophistes passaient pour maîtres dans l'art de la parole, capables, au moyen d'arguments subtils, de convaincre leur auditoire d'une chose et de son contraire, mais ayant en définitive davantage le souci de persuader que celui de dire vrai. À cet égard, la tristesse et la joie deviennent pour Gargantua l'occasion d'un débat argumenté aussi absurde que grotesque, et non le fruit d'une véritable affection. **2. in modo et figura :** selon les modes et figures du raisonnement tel qu'il est défini par les sophistes eux-mêmes.

De la douleur qu'éprouva Gargantua à la mort de sa femme Badebec

[Chapitre 3]

Quand Pantagruel fut né, qui fut bien ébahi et perplexe ? Ce fut Gargantua son père, car voyant d'un côté sa femme Badebec morte et de l'autre son fils Pantagruel, né si beau et si grand, il ne savait que dire ni que faire. Et ce qui troublait son esprit,
5 c'était de ne pas savoir s'il devait pleurer de douleur à cause de sa femme, ou rire de joie à cause de son fils.

D'un côté comme de l'autre, il avait des arguments sophistiqués qui l'embarrassaient, car il savait très bien dans quelle catégorie les classer, mais il ne pouvait en tirer de conclusion. Il en
10 résultait qu'il restait empêtré comme une souris prise au piège ou un milan pris au lacet : « Pleurerai-je ? disait-il. Oui, et pourquoi ? Ma si bonne femme est morte, elle qui était la plus ceci la plus cela au monde. Jamais je ne la reverrai, jamais je ne retrouverai sa pareille ; c'est pour moi une perte inestimable. Ô mon
15 Dieu, que t'avais-je fait pour que tu me punisses ainsi ? Pourquoi ne m'as-tu pas envoyé la mort à moi le premier ? Car pour moi, vivre sans elle, ce n'est que languir ! Ah, Badebec, ma mignonne, m'amie, mon petit con (elle en avait bien tout de même trois arpents et de quoi semer deux setiers), ma tendrette, ma bra-

notes

3. milan : sorte d'aigle.
4. troys arpents et deux sexterées : un arpent est une mesure agraire de superficie ; une sexterée est une mesure de capacité pour les grains. Autrement dit, le « petit » con de Badebec, son sexe, aurait une

superficie de près de 10 000 mètres carrés et de quoi contenir quelque 500 litres !
5. jamais je ne te verray : ici Rabelais fait varier aux extrêmes les niveaux de langage : un langage précieux, affecté, et un langage familier, voire obscène.

20 tant tu me es malivole, tant tu me es oultrageuse de me tollir celle
à laquelle immortalité appartenoit de droict. »

[Et ce disant pleuroit comme une vache, mais tout soubdain rioit
comme un veau[1], quand Pantagruel luy venoit en memoire :

« Ho mon petit filz (disoit il) mon coillon, mon peton[2], que tu es
25 joly, et tant je suis tenu à Dieu de ce qu'il m'a donné un si beau filz,
tant joyeux, tant riant, tant joly. Ho, ho, ho, ho, que suis ayse[3], beuvons, ho ! laissons toute melancholie, apporte du meilleur[4], rince
les verres, boute la nappe, chasse ces chiens, souffle ce feu, allume
la chandelle, ferme ceste porte, taille ces souppes, envoye ces
30 pauvres, baille leur ce qu'ilz demandent, tiens ma robbe[5], que je
me mette en pourpoint[6] pour mieux festoyer les commeres. »

Ce disant ouyt la letanie et les *Mementos*[7] des prebstres qui portoyent sa femme en terre, dont laissa son bon propos et tout soubdain fut ravy ailleurs, disant :

35 « Seigneur Dieu, fault il que je me contriste encores ? Cela me
fasche, je ne suis plus jeune, je deviens vieulx, le temps est dangereux, je pourray prendre quelque fiebvre, me voylà affolé. Foy de
gentil homme[8], il vault mieulx pleurer moins et boire dadvantaige.
Ma femme est morte, et bien : par Dieu (*da jurandi*[9]) je ne la resus-
40 citeray pas par mes pleurs, elle est bien, elle est en paradis pour le
moins si mieulx ne est ; elle prie Dieu pour nous, elle est bien heureuse, elle ne se soucie plus de nos miseres et calamitez, autant nous
en pend à l'œil[10], Dieu gard le demourant[11], il me fault penser d'en
trouver une aultre. Mais voicy que vous ferez, dict il es saiges femmes
45 (où sont elles ? bonnes gens, je ne vous peulx veoyr[12]) ; allez à l'en-

20 guette, ma savate, ma pantoufle, je ne te reverrai plus jamais ! Ah,
pauvre Pantagruel tu as perdu ta bonne mère, ta douce nourrice, ta dame très aimée. Ah, méchante mort, que de mal, que
d'outrage que tu me fais, toi qui m'a enlevé celle à qui l'immortalité revenait de droit. »

25 Et, en disant cela, il pleurait comme une vache. Mais subitement il riait comme un veau, quand Pantagruel lui revenait à
l'esprit.

« Ho, mon petit fils, disait-il, mon couillon, mon peton, que tu
es joli, et comme je suis reconnaissant envers Dieu de m'avoir
30 donné un si beau fils, si joyeux, si rieur, si joli. Ho, ho, ho, que je
suis bien aise ! Buvons, ho, laissons là toute mélancolie. Apporte
du meilleur, rince les verres, mets la nappe, chasse ces chiens,
souffle sur ce feu, allume la chandelle, ferme cette porte, coupe
des tranches de pain pour la soupe, renvoie ces pauvres après
35 leur avoir donné ce qu'ils demandent, tiens ma robe, que je me
mette en pourpoint pour mieux faire fête aux commères. »

En disant cela, il entendit les litanies et les *Mementos* des prêtres
qui portaient sa femme en terre : aussi laissa-t-il là ses joyeux propos. Il fut soudainement entraîné vers d'autres pensées et dit :
40 « Seigneur Dieu, faut-il que je m'afflige encore ? Cela me fâche,
je ne suis plus tout jeune, je deviens vieux, le temps est malsain,
je pourrai prendre quelque fièvre et me voilà atteint. Foi de gentilhomme, il vaut mieux pleurer moins et boire davantage. Ma
femme est morte, eh bien par Dieu (sauf votre respect) je ne la
45 ressusciterai pas par mes pleurs. Elle est bien, elle est au paradis
pour le moins, sinon mieux. Elle prie Dieu pour nous, elle est
bien heureuse, elle ne se soucie plus de nos misères ni de nos
malheurs. C'est ce qui nous pend au nez, que Dieu garde celui
qui reste ! Il me faut penser d'en trouver une autre.

notes

12. je ne vous peulx veoyr : sous-entendu s'il est vrai qu'il existe des sages-femmes,
il semble en revanche inconcevable qu'existent des femmes sages.

terrement d'elle, et ce pendent je berceray icy mon filz, car je me sens bien fort alteré[1] et serois en danger de tomber malade, mais beuvez quelque bon traict devant : car vous vous en trouverez bien, et m'en croyez sur mon honneur. »

---

note

1. alteré : Rabelais joue sur la triple signification du terme qui signifie à la fois affaibli, ému et assoiffé. Mais toutes ces significations pourraient très bien n'en faire qu'une : seule la boisson redonnerait vigueur et santé !

50 « Mais voici ce que vous ferez, dit-il aux sages-femmes (où sont-elles ? Bonnes gens, de sages je n'en peux voir !) : allez à son enterrement, et pendant ce temps je bercerai ici mon fils, car je me sens fort altéré et je risquerais de tomber malade ; mais buvez d'abord un bon coup, vous vous en trouverez bien,
55 croyez-moi sur l'honneur. »

Extrait du film *Satyricon* réalisé en 1969 par Federico Fellini. Si l'on a pu parfois qualifier certains films de Fellini de rabelaisiens, cela tient, entre autres choses, à l'attention qu'il prête dans son œuvre aux scènes de banquet et d'orgie, comparables à celle à laquelle Gargantua semble, à la fin du chapitre trois, se préparer.

« Il ne savait que dire ni que faire »

Lecture analytique du chapitre 3, pp. 160 à 165

Alors que les deux premiers chapitres mettent en avant l'aspect gigantesque des personnages, le chapitre 3 nous donne l'occasion de découvrir le comportement de Gargantua qui, malgré son apparence surhumaine, se révèle en fait comparable à celui du plus commun des mortels.

Toutefois, ce n'est pas la seule surprise que ce chapitre réserve au lecteur : en effet, nous assistons, au lieu de la traditionnelle déploration funèbre, à la mise en place d'un véritable arsenal argumentatif qui, compte tenu du contexte dans lequel il se déploie, crée un décalage inattendu entre un événement et la façon toute formelle dont il est présenté.

Les procédés* stylistiques avec lesquels joue Rabelais demeurent autant d'indices qui, à l'occasion d'une situation initialement pathétique*, invitent le lecteur à percer sous l'étrange rhétorique* de Gargantua un sens implicite* qui abrite les intentions critiques de l'auteur. Comme tout jeu, le sien comporte un enjeu : le retentissement du rire doit ici sonner le réveil de la réflexion.

Le roman de géants

Le texte romanesque se caractérise par le fait d'inventer un univers fictif qu'il peut présenter alternativement sous la forme de narration, de description, de discours directs* ou indirects*. Il se construit autour d'une action ou intrigue. Celle-ci s'inscrit dans un cadre spatio-temporel dans lequel évoluent et se déplacent les personnages que l'auteur met en scène.

* Cf. Lexique.

À l'époque de Rabelais, les ouvrages narrant les aventures de géants foisonnent et sont appréciés du grand public. Traditionnellement, le thème gigantal est utilisé sous la forme du conte, que celui-ci se fasse sur une tonalité épique* – auquel cas l'image du géant est liée à celle de créature fabuleuse, mythique, douée d'une redoutable puissance – ou qu'il recèle de façon implicite*, comme le *Micromégas* de Voltaire, une portée plus philosophique. Dans ce dernier cas, le thème gigantal n'est qu'un outil, un cadre dont se sert l'auteur pour exprimer sa pensée.

.... **Le texte romanesque** ....

❶ En quoi la situation initiale de ce texte est-elle différente de sa situation finale? Vous dégagerez la structure de cet extrait et son évolution.

❷ Repérez et distinguez dans ce texte les passages de narration et de discours direct*. Quels sont respectivement, dans cet extrait, leurs marques caractéristiques?

❸ Quelle fonction revêt la présence, au sein de la narration, du discours de Gargantua? Dans quelle intention le narrateur le rapporte-t-il sur un mode direct?

.... **Le thème gigantal** ....

❹ À quoi Gargantua est-il comparé lignes 10, 11, 25 et 26? Le portrait qui en ressort correspond-il à l'image que l'on se fait traditionnellement du géant? En quoi, dans cet extrait, le thème gigantal est-il mis entre parenthèses?

❺ Comment le narrateur rend-il compte de la perplexité de Gargantua? Relevez dans les deux premiers paragraphes les termes et les procédés* syntaxiques traduisant cette perplexité.

❻ L'état de trouble dans lequel est pris Gargantua ne contraste-t-il pas avec le fait d'être un géant? Rabelais se sert-il ici du thème gigantal pour mettre en valeur les qualités de son personnage ou, au contraire, pour les ridiculiser?

* *Cf.* Lexique.

La tonalité comique

La tonalité comique d'un texte est celle qui vise à provoquer le rire. Elle dispose, à cette fin, de divers procédés : par exemple, le comique de gestes* ou de situation*, souvent utilisés au théâtre, mais aussi le comique verbal* ou encore le comique de caractère*.

La façon dont le philosophe Bergson analyse le comique dans son essai *Le Rire* (paru en 1900) peut ici nous éclairer : «*supposez maintenant, dans un homme bien vivant, deux sentiments irréductibles et raides; faites que l'homme oscille de l'un à l'autre; faites aussi que cette oscillation devienne franchement mécanique* [...] *vous aurez du mécanique dans du vivant, vous aurez du comique*».

.... **Les registres du comique** ....

❼ En quoi le mode des verbes et les interjections employés aux lignes 24 à 31 (de «*ho, mon petit filz*» à «*commeres*») montrent-ils la soudaineté du changement d'attitude qu'opère Gargantua ?

❽ Dans l'éloge que Gargantua fait de la défunte, quels sont les différents registres de langue* utilisés ? Quel effet Rabelais vise-t-il en les juxtaposant ?

❾ D'après l'éloge qu'il fait de sa femme et la résolution qu'il prend à la fin du texte, quel portrait le lecteur peut-il se faire de Gargantua ?

.... **Du mécanique dans du vivant** ....

❿ En quoi les types de phrases* et les interjections utilisés par Gargantua donnent-ils à son discours une tournure oratoire* ?

⓫ En distinguant les arguments en faveur des larmes et ceux en faveur du rire, justifiez la raison pour laquelle cette technique d'argumentation *pro* et *contra* revêt ici un aspect purement mécanique.

⓬ Pourquoi la rhétorique* que développe Gargantua suscite-t-elle, pour le lecteur, le rire plutôt que la compassion ?

La parodie : une critique masquée

Lorsqu'un auteur veut critiquer une institution ou une personne, soit, à ses risques et périls, il le fait de façon explicite et s'expose directement à un ennemi qu'il sait souvent plus puissant que lui ; soit, avec prudence, il le fait sur un mode implicite*. Dans ce cas, la parodie est l'arme qui convient à la situation. Elle consiste à imiter, prendre la peau d'un personnage, reproduire un type de discours, un genre littéraire même, pour le détourner de ses intentions initiales, le déplacer dans un contexte qui ne lui est pas habituel, et cela afin de s'en moquer et de produire un effet comique.

La parodie suppose un implicite qui réclame du lecteur de se risquer au jeu de l'interprétation et de savoir lire entre les lignes. Car son sens littéral n'est que le prétexte et l'occasion d'un sens plus profond. Ambiguë, propice aux malentendus, la parodie se suggère sans jamais s'avouer comme telle ; elle dénonce sans en avoir l'air et s'amuse à brouiller les pistes de lecture. Elle déjoue la critique sous la forme d'un jeu comme l'anagramme* sous lequel Rabelais signe ses écrits, masquant ainsi son identité.

L'objet de la parodie

⓭ En quoi le discours de Gargantua reprend-il les caractéristiques du genre délibératif* ? En quoi la situation de ce chapitre fait-elle qu'il s'en distingue pourtant ?

⓮ L'apparence argumentative de ce discours a-t-elle, comme un texte véritablement argumentatif, pour fonction de nous convaincre ?

⓯ Quelle figure de style Rabelais parodie-t-il, ligne 12 (« *la plus ceci, la plus cela* ») ? Compte tenu des registres de langue* dont il se compose et de la façon dont il est exprimé, quelle est la tonalité de l'éloge funèbre que prononce Gargantua ?

L'enjeu de la parodie

⓰ Pourquoi, selon vous, Rabelais tourne-t-il au ridicule les raisonnements sophistiques et le style élégant de la rhétorique* ?

* Cf. Lexique.

⑰ Le titre du chapitre vous paraît-il justifié ? Est-il ironique* ? Compte tenu de la situation finale du chapitre, expliquez en quoi l'attitude de Gargantua vise davantage à se débarrasser de son problème qu'à le résoudre.

⑱ Ne serait-ce pas, selon Rabelais, le tort de la rhétorique* et de la sophistique* que de nous embarrasser inutilement par de stériles et pompeux discours ?

* *Cf.* Lexique.

L'éloge funèbre
Lectures croisées et travaux d'écriture

La déploration – ou oraison – funèbre forme dans l'histoire de la littérature un genre de discours à part entière qu'il convient de prononcer à l'occasion de l'enterrement d'une personne illustre. Cette dimension oratoire* contraint l'auteur à user d'une stratégie rhétorique* : lyrique* ou pathétique*, elle forcera l'émotion ; laudative*, elle se chargera de convaincre l'auditoire de la dignité exemplaire du défunt – qui souvent n'en aurait pas demandé tant ! ; pieuse, elle sermonnera l'assistance sur le salut, la grâce que représente la mort.

Toutefois, cette rhétorique n'est pas sans poser le problème de sa sincérité : la mort d'un homme nous oblige-t-elle à en exagérer l'éloge, à tirer de son exemple des leçons morales et métaphysiques ? Or, si Rabelais, conscient du pouvoir et des abus du langage, parodie la déploration funèbre, provoque le rire là où nous l'attendons et l'exigeons le moins, c'est afin de montrer qu'un discours ne sonne jamais aussi faux que lorsque l'orateur prend le ton le plus sérieux et solennel.

Jacques-Bénigne Bossuet, *Oraison funèbre d'Henriette-Anne d'Angleterre, duchesse d'Orléans*

C'est à l'occasion de la mort, à l'âge de 26 ans, de la princesse Henriette d'Angleterre, belle-sœur de Louis XIV, que Jacques-Bénigne Bossuet (1627-1704), homme d'Église et prédicateur reconnu, compose L'Oraison funèbre d'Henriette d'Angleterre en 1670. Celle-ci était alors considérée comme une femme d'exception s'illustrant autant par sa beauté que par son esprit. Bossuet, en vrai chrétien, n'hésite pas à mettre en œuvre ses talents d'orateur pour tirer les leçons de cette mort : elle seule nous libérerait des tentations de la vie et de la vanité de toute gloire terrestre.

Changeons maintenant de langage ; ne disons plus que la mort a tout d'un coup arrêté le cours de la plus belle vie du monde [...] : disons qu'elle a mis fin aux plus grands périls dont une âme chrétienne peut être assaillie. Et

* Cf. Lexique.

pour ne point parler ici des tentations infinies qui attaquent à chaque pas la faiblesse humaine, quel péril n'eût point trouvé cette princesse dans sa propre gloire ? La gloire : qu'y a-t-il pour le chrétien de plus pernicieux[1] et de plus mortel ? [...] Considérez la princesse ; représentez-vous cet esprit qui, répandu par tout son extérieur[2], en rendait les grâces si vives : tout était esprit, tout était bonté. Affable[3] à tous avec dignité, elle savait estimer les uns sans fâcher les autres ; et quoique le mérite fût distingué, la faiblesse ne se sentait pas dédaignée. Quand quelqu'un traitait avec elle, il semblait qu'elle eût oublié son rang pour ne se soutenir[4] que par sa raison. On ne s'apercevait presque pas qu'on parlât à une personne si élevée ; on sentait seulement au fond de son cœur qu'on eût voulu lui rendre au centuple la grandeur dont elle se dépouillait si obligeamment. [...] Que dirai-je de sa libéralité[5] ? Elle donnait non seulement avec joie, mais avec une hauteur d'âme qui marquait tout ensemble et le mépris du don et l'estime de la personne. Tantôt par des paroles touchantes, tantôt même par son silence, elle relevait ses présents ; et cet art de donner agréablement, qu'elle avait si bien pratiqué durant sa vie, l'a suivie, je le sais, jusqu'en les bras de la mort. Avec tant de grandes et d'aimables qualités, qui eût pu lui refuser son admiration ? [...] Mais ces idoles que le monde adore, à combien de tentations délicates ne sont-elles pas exposées ? La gloire, il est vrai, les défend de quelques faiblesses, mais la gloire les défend-elle de la gloire même ? [...] Et que se peut refuser la faiblesse humaine pendant que le monde lui accorde tout ? [...] La modération, que le monde affecte, n'étouffe pas les mouvements de la vanité : elle ne sert qu'à les cacher ; et plus elle ménage le dehors, plus elle livre le cœur aux sentiments les plus délicats et les plus dangereux de la fausse gloire. [...] En cet état, messieurs, la vie n'est-elle pas un péril ? La mort n'est-elle pas une grâce ?

Jacques-Bénigne Bossuet, *Oraisons funèbres*, 1670.

1. pernicieux : nuisible, mauvais. **2. répandu par tout son extérieur :** visible pour tous. **3. Affable :** agréable, bienveillante. **4. se soutenir :** s'illustrer, se distinguer. **5. libéralité :** générosité.

William Shakespeare, *Hamlet*

William Shakespeare (1564-1616), poète et dramaturge, compose Hamlet *aux alentours de 1600. Cette tragédie relate l'histoire du prince Hamlet, fils de Hamlet, roi du Danemark, empoisonné par son frère Claudius qui, sitôt son crime commis, usurpa la couronne et épousa la femme de sa victime. Toutefois, nul ne se doute encore du fratricide. Hamlet, le fils, abattu par la mort inexpliquée de son père, assiste, impuissant, aux noces de sa mère. Le discours que prononce le nouveau roi Claudius devant sa cour, la reine et Hamlet, s'efforce de rendre hommage au défunt mais en persuadant son auditoire, et surtout son neveu, de n'en plus porter le deuil.*

Bien que la mort de notre cher frère Hamlet[1]
Soit un souvenir encore vert[2], et qu'il siée
Que nos cœurs demeurent dans la peine et que tout le Royaume
Ne montre qu'un seul front ridé par la douleur,
Pourtant, la raison a si fort combattu la nature,
Qu'en un chagrin très sage nous pensons à lui
Tout en nous souvenant de nous-mêmes[3].
Donc, celle qui fut notre sœur[4], aujourd'hui notre Reine [...]
Nous l'avons, dirai-je, avec une joie défaite,
Avec un œil joyeux mais l'autre en pleurs,
Allègres funérailles, funèbre mariage,
D'une égale balance pesant délice et deuil,
Prise pour femme [...]
C'est la douceur très louable de votre naturel, Hamlet,
Qui vous fait rendre les devoirs du deuil à votre père.
Mais, vous le savez, votre père a perdu son père,
Ce père avait perdu le sien, et le survivant se doit
Au nom du lien filial, pour quelque temps,
D'observer une funèbre tristesse ; mais qui persévère
En un deuil obstiné se conduit
En impie entêté. C'est peu virile peine,
Et qui marque une volonté rebelle au Ciel,
Un cœur mal trempé, un esprit impatient,
Une intelligence naïve et inéduquée.
Car lorsqu'on sait ce qui doit être, qui est aussi commun
Que le plus banal objet de nos sens,
Pourquoi s'y opposer de chagrine façon
Et le prendre à cœur ? Enfin, c'est une faute envers le Ciel,

Une faute envers les morts, une faute contre nature,
Et, pour la raison, on ne peut plus absurde, qui voit un lieu commun
En la mort des pères, et qui s'est toujours écriée,
Dès le premier cadavre jusqu'au mort d'aujourd'hui,
« Il faut qu'il en soit ainsi. » Nous vous en prions, jetez à terre
Cette douleur infirme et pensez à nous
Comme à un père…

William Shakespeare, *Hamlet*, acte I, scène 2, vers 1600,
éditions Garnier Flammarion, trad. François Maguin.

1. notre cher frère Hamlet: c'est-à-dire le roi défunt, non son fils. **2. un souvenir encore vert:** un souvenir encore frais, présent. **3. Tout en nous souvenant de nous-mêmes:** tout en ne nous oubliant pas. **4. notre sœur:** c'est-à-dire la belle-sœur de Claudius.

Rainer Maria Rilke, « Pour une amie »

Romancier, essayiste et poète allemand, Rainer Maria Rilke (1875-1926) publie en 1909, sous le titre Requiem, *un recueil regroupant deux poèmes en hommage à ceux dont la mémoire ne cesse de le hanter. « Pour une amie » a été composé en 1907 à l'occasion de la mort, à 32 ans, de son amie Paula Becker. À la différence des traditionnels éloges funèbres, Rilke ne les a pas destinés à une lecture publique. Écrits en vers libres, proches de l'élégie*, ces poèmes semblent abriter la même intimité que celle qui existait entre le poète et les défunts. Ne tirant aucune leçon de la mort d'autrui, Rilke se plaint simplement de souffrir du sentiment qu'il a de la présence du défunt.*

Es-tu encore là ? Dans quel recoin es-tu ? –
De tout cela tu as eu une si ample science,
tu en as été si amplement capable, puisque tu es partie ainsi,
ouverte à tout, comme un jour qui commence.
[…] Hélas, toi qui fus loin de toute gloire. Toi qui fus
de peu d'apparence ; qui avais sans bruit replié
ta beauté en toi-même, comme on baisse un drapeau
au matin gris d'un jour ouvré[1] […]
Si tu es encore là, s'il reste encore
dans cette obscurité une place à laquelle ton esprit
vibre sensiblement […]:
Alors, écoute moi : Aide moi. Vois, nous allons nous aussi
glisser, nous ne savons quand, revenir de notre avancée vers
quelque chose qui ne sera pas ce que nous espérions ; dans quoi
nous serons empêtrés comme dans un rêve,
et dans quoi nous mourrons sans nous réveiller.

Nul n'est plus avancé.
[...] Ne reviens pas en arrière. Et donc – si toutefois tu l'endures –
sois morte chez les morts. Les morts ont fort à faire.

Rainer Maria Rilke, « Pour une amie », *Requiem*, 1908,
éditions Fata Morgana, trad. Jean-Yves Masson.

1. jour ouvré : jour où l'on travaille.

Corpus

Texte A : Chapitre 3 de *Pantagruel* de François Rabelais (pp. 160 à 165).
Texte B : Extrait de l'« Oraison funèbre d'Henriette d'Angleterre » des *Oraisons funèbres* de Jacques-Bénigne Bossuet (pp. 171-172).
Texte C : Extrait de la scène 2 de l'acte I de *Hamlet* de Wiliam Shakespeare (pp. 173-174).
Texte D : Extrait de « Pour une amie » du recueil *Requiem* de Rainer Maria Rilke (p. 174-175).

Examen des textes

❶ Dans le texte B, selon quels procédés* l'auteur présente-t-il les qualités de la défunte ?
❷ Relevez les éléments oratoires* qui permettent de voir que le texte B est prononcé face à un auditoire.
❸ Dans le texte C, selon quels procédés s'exprime le dilemme de Claudius ?
❹ Dans le texte C, quelle tonalité Claudius s'efforce-t-il de donner à son discours ? Justifiez votre réponse.
❺ Analysez, dans le texte D, les différents modes et temps des verbes utilisés. Quelles sont ici leurs fonctions ?
❻ En justifiant votre réponse, déterminez la tonalité du texte D.

Travaux d'écriture

Question préliminaire

En analysant la tonalité dominante et l'intention de chacun des extraits, vous expliquerez les différentes fonctions que peut revêtir un éloge funèbre.

* Cf. Lexique.

Commentaire
Vous ferez le commentaire de l'extrait des *Oraisons funèbres* de Bossuet.

Sujet de dissertation
En vous référant au texte de Rabelais figurant dans le corpus et à vos lectures personnelles, vous traiterez le sujet suivant : un texte comique vise-t-il seulement à faire rire ?

Sujet d'invention
Écrivez, sur un mode comique ou sérieux, l'éloge funèbre d'un personnage célèbre de votre choix.

Gargantua pleurant. Illustration de Sotain. ▶

De l'enfance de Pantagruel

[Chapitre 4]

Je trouve par les anciens historiographes et poetes que plusieurs
sont nez en ce monde en façons bien estranges, que seroient trop
longues à racompter [...]. Mais Pantagruel, estant encores au ber-
seau, feist cas bien espouventables[1]. Je laisse icy à dire comment
5 à chascun de ses repas il humoit le laict de quatre mille six cens
vaches. [...]

Certain jour vers le matin que on le vouloit faire tetter une de ses
vaches (car de nourrisses il n'en eut jamais aultrement, comme dict
l'hystoire), il se deffit des liens qui le tenoyent au berceau un des
10 bras, et vous prent ladicte vache par dessoubz le jarret[2], et luy mangea les deux tetins et la moytié du ventre, avecques le foye et les
roignons[3], et l'eust toute devorée, n'eust esté qu'elle cryoit horri-
blement comme si les loups la tenoient aux jambes, auquel cry le
monde arriva, et osterent ladicte vache à Pantagruel, mais ilz ne
15 sceurent si bien faire que le jarret ne luy en demourast comme il le
tenoit et le mangeoit très bien comme vous feriez d'une saulcisse,
et quand on luy voulut oster l'os, il l'avalla bien tost comme un cor-
maran[4] feroit un petit poisson, et après commença à dire : « Bon
bon bon » car il ne sçavoit encores bien parler, voulant donner à
20 entendre que il avoir trouvé fort bon et qu'il n'en failloit plus que
autant. [...]

De l'enfance de Pantagruel

[Chapitre 4]

Je trouve chez les anciens historiographes et chez les anciens poètes qu'il y eut en ce monde des naissances bien étranges, qui seraient trop longues à raconter […]. Mais Pantagruel, encore au berceau, fit des choses bien épouvantables. Je renonce à dire ici
5 comment à chacun de ses repas, il buvait le lait de quatre mille six cents vaches. […]

Un beau jour, sur le matin, où on voulait lui faire téter une de ses vaches (car en fait de nourrices, il n'en eut jamais d'autres, comme le dit l'histoire) il se défit des liens qui l'attachaient au
10 berceau par le bras, vous prend ladite vache sous le jarret et lui mangea deux tétines et la moitié du ventre, avec le foie et les rognons et il l'aurait dévorée tout entière si elle n'avait poussé d'horribles cris, comme si les loups la tenaient par les jambes ; à ces cris, les gens accoururent et enlevèrent la vache à Panta-
15 gruel ; mais ils eurent beau faire, le jarret lui resta entre les mains, comme il le tenait et le mangea aussi bien que vous mangeriez une saucisse ; et quand on voulut lui ôter l'os, il l'avala aussi vite qu'un cormoran avalerait un petit poisson ; après quoi il commença à dire : « Bon ! Bon ! Bon ! » car il ne savait pas encore
20 bien parler, voulant faire comprendre qu'il avait trouvé cela fort bon et qu'il ne demandait qu'à recommencer. […]

Comment Pantagruel rencontra un Limosin qui contrefaisoit le langaige Françoys

[Chapitre 6]

Durant sa jeunesse, Pantagruel passe le plus clair de son temps à s'amuser; il voyage aux quatre coins de la France pour visiter les universités et se faire une idée de leurs étudiants...

Quelque jour je ne sçay quand, Pantagruel se pourmenoit après souper avecques ses compaignons par la porte dont l'on va à Paris. Là rencontra un escholier tout jolliet qui venoit par icelluy chemin, et, après qu'ilz se furent saluez, luy demanda :

5 « Mon amy d'ont viens tu à ceste heure ? »

L'escholier luy respondit :

« De l'alme, inclyte et celebre academie que l'on vocite Lutece[1].

– Qu'est ce à dire, dist Pantagruel à un de ses gens ?

– C'est (respondit il) de Paris.

10 – Tu viens doncques de Paris, dist il ? Et à quoy passez vous le temps, vous aultres messieurs estudiens, audict Paris ? »

Respondit l'escolier :

« Nous transfretons la Sequane au dilucule, et crepuscule, nous deambulons par les compites et quadrivies de l'urbe ; nous despu-

15 mons la verbocination Latiale et, comme verisimiles amorabonds, captons la benevolence de l'omnijuge, omniforme et omnigene sexe féminin[2] [...]. »

notes

1. De l'alme [...] Lutece : « De la nourricière, illustre et célèbre académie qu'on appelle Paris. » Le langage de l'écolier est un mélange confus de français et de latin. Dans ce chapitre, Rabelais se moque de ceux qui, plutôt que d'user d'un langage

Comment Pantagruel rencontra un Limousin qui écorchait le français

[Chapitre 6]

Un jour, je ne sais quand, Pantagruel se promenait après le dîner avec ses compagnons vers la porte par où l'on sort pour aller à Paris. Là il rencontra un écolier tout mignon qui venait par ce chemin, et quand ils eurent échangé des saluts, il lui
5 demanda :

« Mon ami, d'où viens-tu à cette heure ? »

L'écolier lui répondit :

« De l'alme, inclite et célèbre académie que l'on vocite Lutèce.

– Qu'est-ce à dire ? dit Pantagruel à l'un de ses gens.
10 – C'est de Paris qu'il est question, répondit-il.

– Tu viens donc de Paris, dit le prince. Et à quoi passez-vous le temps à Paris, vous autres messieurs étudiants ? »

L'écolier répondit alors :

« Nous transfrétons la Séquane au dilucule et au crépuscule ;
15 nous déambulons par les compites et les quadrivies de l'urbe ; nous despumons la verbocination latiale et comme verisimiles amorabonds, captons la bénévolence de l'omnijuge, omniforme et omnigène sexe féminin. […]

notes

simple et compréhensible, pratiquant un langage à la limite du jargon et qui n'a de savant que l'allure. En vrai défenseur de la langue française, Rabelais fustige ces discours prétentieux, artificiels et ridicules, à l'image de « l'Académie », faculté de théologie de Paris, représentative de cette école vieillissante que les humanistes de la Renaissance s'accordent à critiquer.

2. Nous transfretons […] féminin : l'écolier raconte ici ses déambulations nocturnes et parisiennes en quête de femmes. Sous l'apparence d'une sagesse, l'enseignement de l'Académie favoriserait la plus grande débauche sexuelle ! (Nous tenons ici à ne pas traduire les paroles de l'écolier dans la mesure où le comique de cette scène repose sur leur quasi incompréhensibilité.)

A quoy Pantagruel dist :

« Que diable de langaige est cecy ? Par Dieu, tu es quelque here-
20   tique.

– Seignor non, dit l'escolier, car libentissiment, dès ce qu'il illucesce
quelque minutule lesche du jour, je demigre en quelc'un de ces tant
bien architectez monstiers : et là me irrorant de belle eaue lustrale,
grignotte d'un transon de quelque missicque precation de nos sacri-
25   ficules. Et submirmillant mes precules horaires elue, et absterge mon
anime de ses inquinamens nocturnes. Je revere les Olimpicoles, je
venere latrialement le supernel Astripotent, je dilige et redame mes
proximes. Je serve les prescriptz Decalogicques, et selon la facultatule de mes vires, n'en discede le late unguicule. Bien est veriforme
30   que à cause que Mammone ne supergurgite goutte en mes locules,
je suis quelque peu rare et lend à supereroger les eleemosynes à ces
egenes queritans leurs stipe hostiatement[1].

– Et bren, bren, dist Pantagruel, qu'est ce que veult dire ce fol ?
Je croys qu'il nous forge icy quelque langaige diabolique, et qu'il
35   nous cherme comme enchanteur. » [...]

– Par Dieu, (dist Pantagruel) je vous apprendray à parler. Mais
devant responds moy, dont es tu ? »

A quoy dist l'escholier :

« L'origine primeves de mes aves et ataves fut indigene des regions
40   Lemovicques, où requiesce le corpore de l'agiotate sainct Martial.

– J'entens bien, dist Pantagruel. Tu es Lymosin, pour tout potaige.
Et tu veulx icy contrefaire le Parisian. Or vien çza, que je te donne
un tour de pigne ! »

Lors le print à la gorge, luy disant :

45   « Tu escorche le latin, par sainct jean je te feray escorcher le renard[2],
car je te escorcheray tout vif. »

notes

1. Seignor, non [...] hostiatement :
l'écolier fait part de sa foi en Dieu, qui
ne se définit que par le fait d'assister
aux messes, d'entonner quelques prières,
d'obéir aux commandements divins. Il fait

preuve d'une foi toute formelle, hypocrite,
mécanique, en contrepoint de laquelle,
plus tard, Rabelais donnera le modèle
d'une foi authentique.
2. escorcher le renard : vomir.

À ces paroles, Pantagruel s'écria : « Quel diable de langage est-
20 ce là ? Par Dieu, tu es quelque hérétique.

– Seignor, non, dit l'écolier, car libentissimement dès qu'il
illuscesce quelque minutule lèche de jour, je démigre dans l'un
de ces si bien architectés moutiers, et là, m'irrorant de belle eau
lustrale, grignote d'un transon de quelque missique précation de
25 nos sacrificules. Et, submirmillant mes précules horaires, élue et
absterge mon anime de ses inquinaments nocturnes. Je révère
les Olympicoles, je vénère latrialement le supernel Astripotent.
Je dilige et rédame mes proximes. Je serve les prescripts décalo-
giques, et selon la facultatule de mes vires, n'en discède le late
30 unguicule. Bien est vériforme que, à cause que Mammon ne
supergurgite goutte en mes locules, je suis quelque peu rare et
lent à superéroger les élémosines à ces égènes quéritant leur
stipe hostiatement.

– Eh, merde, merde, dit Pantagruel, qu'est-ce que veut dire ce
35 fou ? Je crois qu'il nous forge ici un langage diabolique et qu'il
nous ensorcèle comme un magicien. » […]

– Par Dieu, dit Pantagruel, je vous apprendrai à parler ; mais
d'abord, réponds-moi : d'où es-tu ? »

L'écolier lui dit alors :

40 « L'origine primève de mes aves et ataves fut indigène des
régions Lémoviques, où requiesce le corpore de l'agiotate saint
Martial.

– Je comprends, dit Pantagruel, tu es limousin, pour tout
potage ; et tu veux singer le Parisien. Viens donc ici, que je te
45 donne une peignée. »

Il le prit alors à la gorge, en disant :

« Tu écorches le latin, par saint Jean, je vais te faire rendre
gorge, car je vais t'écorcher tout vif. »

Lors commença le pauvre Lymosin à dire :

« Vée dicou, gentilastre. Ho sainct Marsault adjouda my. Hau hau, laissas à quau au nom de Dious et ne me touquas grou[1] ! »

50 A quoy dist Pantagruel :

« A ceste heure parle tu naturellement. »

Et ainsi le laissa [...].

Alors le pauvre Limousin se mit à dire :

50 « Vée dicou, gentillâtre ! Ho, saint Marsau, adjouda mi ! Hau ! Hau ! laissas à quau, au nom de Dious, et ne me touquas grou. »

Alors Pantagruel lui dit :

« À présent, tu parles naturellement. »

Et il le laissa […].

Gravures extraites des *Songes drolatiques de Pantagruel, où sont conte-nues plusieurs figures de l'invention de maistre François Rabelais*. Cet ouvrage, publié en 1565 et faussement attribué à Rabelais, est l'œuvre d'un décorateur nommé François Desprez. Il rassemble des gravures qui, de façon totalement grotesque et fantaisiste, dépeignent des personnages ordinaires (militaires, moines, savants, etc.).

B 4.

Comment Pantagruel, estant à Paris, receut letres de son père Gargantua, et la copie d'icelles

[Chapitre 8]

Lorsqu'il reçoit la lettre de son père, Pantagruel se trouve à Paris où s'achève sa visite des universités françaises. Sa scolarité étant achevée, il en profite pour se rendre à la librairie de Saint Victor dont il admire les livres aux titres aussi divers que fantaisistes...

[...] Mais encores que mon feu[1] pere de bonne memoire Grandgousier eust adonné tout son estude à ce que je proffitasse en toute
perfection et sçavoir politique[2], et que mon labeur et estude cor-
respondît très bien, voire encores oultrepassast son desir : toutes-
5   foys, comme tu peulx bien entendre, le temps n'estoit tant idoine
ne commode es lettres[3] comme est de present, et n'avoys copie de
telz precepteurs[4] comme tu as eu. [...]
Maintenant[5] toutes disciplines sont restituées, les langues instau-
rées, Grecque sans laquelle c'est honte que une personne se die sça-
10   vant, Hebraïcque, Caldaïcque[6], Latine. Les impressions[7] tant ele-
gantes et correctes en usance, qui ont esté inventées de mon eage
par inspiration divine, comme à contrefil l'artillerie par suggestion
diabolicque. Tout le monde est plein de gens savans, de prec[e]pteurs
tres doctes[8], de librairies tres amples, qu'il m'est advis que, ny au

notes

1. feu : du latin *fatutus*, « qui a accompli sa
destinée ». Mort depuis peu de temps.
2. sçavoir politique : relatif à l'art de
gouverner un État.
3. es lettres : relatif à la culture littéraire
et à la connaissance du grec et du latin.
Rappelons ici que Rabelais, contre l'avis

de ses supérieurs, avait appris le grec
au couvent. Rappelons également que
la Renaissance se caractérise par la
redécouverte des textes issus de l'Antiquité
grecque, par la « restitution des bonnes
lettres ».
4. precepteurs : professeurs, éducateurs.

Comment Pantagruel qui était à Paris reçut une lettre de son père Gargantua dont voici la copie

[Chapitre 8]

[…] « Bien que feu mon père Grandgousier, qui n'a laissé que de bons souvenirs, eût apporté tous ses soins à me faire progresser en perfection et savoir politique, et que mon travail et mon application répondissent tout à fait à son désir, et même l'aient

5 dépassé, le temps cependant, tu le sais bien, n'était pas aussi propice ni favorable à l'étude des belles-lettres qu'il l'est à présent et je n'ai pas eu autant et d'aussi bons précepteurs que toi. […]

« Maintenant toutes les études sont restaurées, les langues mises à l'honneur : le grec, sans la connaissance duquel ce serait une

10 honte de se dire savant, l'hébreu, le chaldéen, le latin. Les livres imprimés, si élégants et si corrects, sont en usage, dont l'invention, de mon vivant, est due à l'inspiration divine, comme, au rebours, l'artillerie à une suggestion diabolique. Le monde entier est plein de gens savants, de précepteurs très doctes, de

notes

5. Maintenant : Rabelais veut mettre à jour le changement qu'a opéré la Renaissance. Gargantua sera le porte-voix de cet hymne au nouveau savoir. Par exemple, l'apprentissage des langues sera institué au Collège de France créé en 1530 par François Ier.

6. Caldaïcque : de Chaldée, ancien pays de Mésopotamie.
7. impressions : rappelons que Gutenberg a créé l'imprimerie en 1434.
8. doctes : du latin *doctus*, désignant celui qui a appris, qui sait.

15 temps de Platon, ny de Ciceron, ny de Papinian[1], n'estoit telle com-
modité d'estude qu'on y veoit maintenant. Et ne se fauldra plus
doresnavant trouver en place ny en compaignie qui ne sera bien
expoly en l'officine de Minerve[2]. Je voy les brigans, les boureaulx,
les avanturiers, les palefreniers[3], de maintenant plus doctes que les
20 docteurs et prescheurs de mon temps.

[Que diray je ? Les femmes et filles ont aspiré à ceste louange et
manne celeste[4] de bonne doctrine. [...] Parquoy mon filz je te
admoneste que employe ta jeunesse à bien profiter en estudes et
en vertus. Tu es à Paris, tu as ton precepteur Epistemon, dont l'un
25 par vives et vocables instructions, l'aultre[5] par louables exemples,
te peut endoctriner. J'entends et veulx que tu aprenes les langues
parfaictement. Premierement la grecque comme le veult Quintilian[6]. Secondement la Latine. Et puis l'Hebraïcque pour les sainctes
letres, et la Chaldaïcque et Arabicque pareillement[7], et que tu
30 formes ton stille quand à la Grecque, à l'imitation de Platon, quand
à la Latine, à Ciceron. Qu'il n'y ait hystoire que tu ne tienne en
memoire presente, à quoy te aydera la *Cosmographie* de ceulx qui
en ont escript.

Des ars liberaux[8] geometrie, arismeticque et musicque, je t'en don-
35 nay quelque goust quand tu estoys encores petit en l'eage de cinq
à six ans, poursuys la reste, et de astronomie saiche en tous les
canons, laisse moy l'astrologie divinatrice et l'art de Lullius[9] comme
abuz et vanitez. Du droit civil, je veulx que tu saiche par cueur les
beaulx textes, et me les confère avecques philosophie. Et quand à
40 la congnoissance des faicts de nature, je veulx que tu te y adonne

notes

1. Platon, Cicéron, Papinian : Platon (v. 428-
v. 348 av. J.-C.), disciple de Socrate, est un
philosophe grec ; Cicéron (v. 106-v. 43 av.
J.-C.) et Papinien (142-212) sont quant à
eux romains : le premier est à la fois un
philosophe, un grand orateur et un homme
d'État ; le second est juriste.
2. Minerve : déesse de la sagesse
(équivalent de la déesse grecque Athéna).

3. palefrenier : personne chargée des soins
des chevaux. Par extension, homme
grossier, rustre.
4. manne celeste : dans l'Ancien Testament,
la manne est la nourriture miraculeusement
donnée aux Hébreux dans le désert. Par
extension, ce terme peut qualifier tout ce
qui arrive de manière inespérée et quasi
providentielle.

15 bibliothèques très vastes, au point qu'il n'y avait pas, au temps de
Platon, de Cicéron ou de Papinien, autant de facilité pour étudier qu'il s'en trouve maintenant ; et désormais on ne devra plus
paraître en public ou en quelque compagnie sans être bien
affiné dans l'atelier de Minerve. Je vois les brigands, les bour-
20 reaux, les soldats, les palefreniers d'à présent plus doctes que les
docteurs et prêcheurs de mon temps.

« Que dire encore ? Les femmes et les filles ont aspiré à cette
gloire, à cette manne céleste du beau savoir. C'est pourquoi,
mon fils, je t'engage à employer ta jeunesse à bien profiter en
25 savoir et en vertu. Tu es à Paris, tu as ton précepteur Épisté-
mon : l'un par un enseignement vivant et oral, l'autre par de
louables exemples peuvent te former. J'entends et je veux que
tu apprennes parfaitement les langues : d'abord le grec, comme
le veut Quintilien, en second lieu le latin, puis l'hébreu pour
30 l'Écriture sainte, le chaldéen et l'arabe pour la même raison, et
que tu formes ton style sur celui de Platon pour le grec, de
Cicéron pour le latin. Qu'il n'y ait pas de faits historiques que
tu ne gardes présents à la mémoire, ce à quoi t'aidera la description de l'univers par les auteurs qui ont traité ce sujet.

35 Quant aux arts libéraux, géométrie, arithmétique et musique,
je t'en ai donné le goût quand tu étais encore petit, à cinq ou
six ans ; continue : de l'astronomie, apprends toutes les règles.
Mais laisse-moi l'astrologie divinatoire et l'art de Lullius, qui
ne sont qu'abus et futilités. Du droit civil, je veux que tu
40 saches par cœur les beaux textes et me les commentes avec
sagesse.

notes

5. l'aultre : à savoir Paris.
6. Quintilian : penseur latin du Ier siècle.
7. [...] pareillement : toutes ces langues sont nécessaires pour lire dans le texte original les Écritures saintes.
8. ars liberaux : à l'origine, arts dignes d'un homme libre qui comprennent la grammaire, la dialectique, la rhétorique, l'arithmétique, la géométrie, l'astronomie et la musique.
9. Lullius : Rabelais n'a pas cessé durant sa vie de critiquer les sciences occultes comme l'astrologie divinatrice, qui prétend lire et prédire l'avenir, ou encore l'alchimie dont Raymond Lulle au XIIIe siècle est un des plus fameux représentants.

curieusement, qu'il n'y ayt mer, riviere ny fontaine, dont tu ne con-
gnoisse les poissons, tous les oyseaulx de l'air, tous les arbres, arbustes
et fructices des forestz, toutes les herbes de la terre, tous les metaulx
cachez au ventre des abysmes, les pierreries de tout Orient et Midy,
45   rien ne te soit incongneu. Puis songneusement revisite les livres des
medicins Grecz, Arabes et Latins, sans contemner les Thalmudistes,
et Cabalistes[1], et par frequentes anatomies[2] acquiers toy parfaicte
congnoissance de l'aultre monde, qui est l'homme. Et par lesquelles
heures du jour commence à visiter les sainctes lettres. Premierement
50   en Grec, le *Nouveau Testament* et *Epistres* des Apostres, et puis en
Hebrieu le *Vieulx Testament*.

Somme que je voye un abysme de science : car, doresnavant que
tu deviens homme et te fais grand, il te fauldra yssir de ceste tranquillité et repos d'estude et apprendre la chevalerie, et les armes
55   pour defendre ma maison, et nos amys secourir en tous leurs
affaires contre les assaulx des mal faisans. Et veux que de brief tu
essaye combien tu as proffité, ce que tu ne pourras mieulx faire
que tenent conclusions en tout sçavoir, publiquement, envers tous
et contre tous[3], et hantant les gens lettrez qui sont tant à Paris
60   comme ailleurs.

Mais parce que, selon le saige Salomon[4], sapience n'entre poinct
en ame malivole et science sans conscience[5] n'est que ruine de l'ame,
il te convient servir, aymer et craindre Dieu, et en luy mettre toutes
tes pensées, et tout ton espoir, et par foy formée de charité[6] estre
65   à luy adjoinct, en sorte que jamais n'en soys désamparé par peché.
Aye suspectz les abus du monde, ne metz ton cueur à vanité, car

1. Thalmudistes, et Cabalistes : le Talmud et
la Kabbale relèvent d'une longue tradition
juive. Le Talmud en effet est l'ouvrage qui
recueille l'enseignement des plus grands
rabbins ; la Kabbale constitue quant à elle
une interprétation symbolique et mystique
de l'Ancien Testament.
2. anatomies : bien qu'interdites par les
autorités, Rabelais, médecin, a pratiqué de
telles dissections.

3. publiquement, envers tous et contre tous :
c'est à cause de ce passage que certains
commentateurs ont interprété la lettre de
Gargantua non pas comme l'hymne d'un
nouveau savoir mais, au contraire, comme la
façon ironique qu'a Rabelais de critiquer
l'ambition du programme proposé par les
humanistes eux-mêmes : faute de pouvoir
tout savoir, il s'agirait d'être capable, en
public, de discuter de tout et de persuader

« Quant à la connaissance de la nature, je veux que tu t'y appliques avec soin : qu'il n'y ait mer, rivière, ni source dont tu ne connaisses les poissons ; tous les oiseaux de l'air, tous les arbres,
45 arbustes, buissons des forêts, toutes les herbes de la terre, tous les métaux cachés au ventre des abîmes, les pierreries de toutes les contrées d'Orient et du Midi, que rien ne te soit inconnu.

« Puis, relis soigneusement les livres des médecins grecs, arabes et latins, sans mépriser les talmudistes et les cabalistes, et, par de
50 fréquentes dissections, acquiers une parfaite connaissance de cet autre monde qu'est l'homme. Et quelques heures par jour, commence à lire l'Écriture sainte, d'abord en grec le Nouveau Testament et les Épîtres des apôtres, puis en hébreu l'Ancien Testament. En somme, que je voie en toi un abîme de science,
55 car maintenant que tu deviens homme et te fais grand, il te faudra quitter la tranquillité et le repos de l'étude et apprendre l'art de la chevalerie et les armes pour défendre ma maison et secourir nos amis dans toutes leurs difficultés contre les attaques des fauteurs de troubles. Et je veux que bientôt tu mesures tes pro-
60 grès : pour cela, tu ne pourras mieux faire que de soutenir des discussions publiques sur tous les sujets, envers et contre tous, et de fréquenter les gens lettrés tant à Paris qu'ailleurs.

« Mais parce que, selon le sage Salomon, la sagesse n'entre pas dans une âme méchante et que science sans conscience n'est que
65 ruine de l'âme, il te faut servir, aimer et craindre Dieu et en lui mettre toutes tes pensées et tout ton espoir, et par une foi faite de charité, t'unir à lui de façon à n'en être jamais séparé par le péché. Méfie-toi des abus du monde. Ne t'adonne pas à des choses

notes

ses adversaires. Mais ne retrouve-t-on pas les caractéristiques du sophiste que Rabelais s'efforce sans relâche de démasquer ?
4. Salomon : roi d'Israël à qui l'on doit, dans l'Ancien Testament, les *Proverbes* qui font figure de modèles de sagesse.
5. science sans conscience : ces deux termes ont la même racine étymologique.

Conscience signifie en premier lieu le fait de partager un savoir avec quelqu'un. Mais au XVIᵉ siècle la notion de conscience acquiert progressivement la signification morale de connaissance, plus ou moins intuitive, du bien et du mal.
6. charité : amour du prochain. Selon saint Paul, elle constitue la première des vertus.

ceste vie est transitoire, mais la parolle de Dieu demeure eternel-
lement. Soys serviable à tous tes prochains, et les ayme comme toy
mesmes[1]. Revere tes precepteurs, fuis les compaignies des gens
70 esquelz tu ne veulx point resembler, et les graces que Dieu te a données, icelles ne reçoipz en vain. Et quand tu congnoistras que auras
tout le sçavoir de par delà acquis, retourne vers moy, affin que je
te voye et donne ma benediction devant que mourir. Mon filz la
paix et grace de Nostre Seigneur soit avecques toy. Amen, de Utopie[2],
75 ce dix septiesme jour du moys de mars,

ton pere Gargantua.

Ces lettres receues et veues Pantagruel print nouveau courage et
feut enflambé à proffiter plus que jamais, en sorte que, le voyant
estudier et proffiter, eussiez dict que tel estoit son esperit entre les
80 livres, comme est le feu parmy les brandes, tant il l'avoit infatigable
et strident.

notes

1. toy mesmes : ici, Gargantua suit à la
lettre près les préceptes du Christ.
2. Utopie : nouvelle allusion à l'ouvrage de
More qui peut ici revêtir une signification

plus particulière : les recommandations
de Gargantua à son fils ne sont-elles pas
utopiques, sans lieu, irréalisables ?

vaines, car cette vie est transitoire, mais la parole de Dieu demeure
70   éternellement. Sois serviable à ton prochain et aime-le comme
toi-même. Révère tes précepteurs, fuis la compagnie de ceux
auxquels tu ne veux point ressembler, et ne reçois pas en vain les
grâces que Dieu t'a données. Et quand tu verras que tu as acquis
tout le savoir qu'on acquiert là-bas, reviens vers moi afin que je te
75   voie et que je te donne ma bénédiction avant de mourir.

« Mon fils, que la paix et la grâce de Notre-Seigneur soient
avec toi, amen. D'Utopie, ce dix-sept mars.

« Ton père,
« Gargantua. »

80   Après avoir reçu et lu cette lettre, Pantagruel éprouva un
renouveau de courage et fut enflammé du désir de progresser
plus que jamais, en sorte qu'en le voyant étudier et progresser,
on aurait dit que son esprit parcourant les livres ressemblait au
feu dans les bruyères, tant il était infatigable et pénétrant.

Pantagruel étudiant l'astronomie.
Illustration de Gustave Doré.

La lettre qu'écrit Gargantua à son fils revêt un statut unique. En effet, inattendue, isolée du reste, elle interrompt subitement le schéma narratif* mis en place aux chapitres précédents ; de plus, la rhétorique* et la dialectique* qu'elle met en œuvre, sa tonalité parfois lyrique*, contrastent avec l'ensemble du *Pantagruel*.

Néanmoins, notre attention doit aussi se porter sur le message que porte cette lettre qui, dans l'histoire de la littérature et des idées, fait par excellence figure d'hymne célébrant les valeurs nouvelles de la Renaissance. Le modèle d'éducation présenté par Gargantua constituerait alors une véritable profession de foi humaniste.

Faut-il pour autant prendre l'enthousiasme fervent de Gargantua au pied de la lettre ? Écrite d'Utopie, cette lettre laisse alors entendre, implicitement*, que le programme d'éducation de Gargantua ne vaut qu'à titre de modèle théorique dont l'application stricte s'avère en fait irréalisable.

L'épistolaire

Une lettre se définit comme un message écrit que l'on adresse à un absent et forme un acte de communication à distance. Il convient de distinguer toutefois les lettres que s'échangent de réels correspondants et les lettres fictives dont les protagonistes sont des personnages romanesques. L'épistolaire désigne un genre narratif à part entière composé de lettres écrites par un ou plusieurs narrateurs. Sa situation d'énonciation* met en jeu un message, un émetteur et un récepteur (ou destinataire). La date et le lieu de rédaction de la lettre, la signature et l'identification du destinataire constituent autant d'éléments matériels caractéristiques de l'épistolaire.

* *Cf.* Lexique.

❶ Relevez dans cet extrait les différents éléments matériels qui caractérisent les marques de l'épistolaire.

❷ Quelle formule d'adresse Gargantua emploie-t-il pour nommer le destinataire de la lettre ?

❸ Après avoir relevé les pronoms personnels les plus fréquemment employés dans la lettre, vous déterminerez leur fonction dans le genre épistolaire.

❹ En quoi cette lettre est-elle fictive ? Pourquoi donne-t-elle au lecteur l'impression d'être une lettre réelle ?

Un texte engagé

Une lettre vise à produire un effet sur son récepteur. Or, une lettre fictive s'adresse autant à son destinataire fictif qu'à nous, réels lecteurs d'une œuvre littéraire. En nous informant, en s'efforçant parfois de nous convaincre, d'une situation, d'un événement, autant que du sentiment qu'éprouve son auteur à leur égard, la lettre fictive devient une véritable source d'informations qui donne à ses lecteurs l'occasion de prendre connaissance d'un contexte historique. Dès lors qu'elle s'inspire d'une réalité déterminée, la lettre fictive se voit créditée de vraisemblance. Témoin d'une époque et des évolutions de celle-ci, elle suscite un intérêt historique.

Toutefois, il reste deux façons de rendre compte d'une époque : soit, purement informative, descriptive et historique, elle obéit à un effort de neutralité et d'objectivité ; soit, à l'inverse, elle exprime une prise de position de l'auteur, que celle-ci se fasse sur le mode de l'apologie* ou de la critique. La fonction de la lettre fictive vise dans ce cas à persuader ceux qui la lisent. Son style et son argumentation permettent aux lecteurs d'identifier les intentions de son auteur.

.... **La fonction informative** ....

❺ En relevant dans cet extrait les indices temporels, montrez comment s'exprime la rupture entre passé et présent.

* Cf. Lexique.

❻ Pour nous persuader que les temps changent, quels exemples Gargantua mentionne-t-il ? En quoi témoignent-ils d'un progrès ?

❼ En quoi ces progrès font-ils directement allusion à l'époque de Rabelais ? Quelle est la fonction, dans la lettre fictive, de telles allusions ?

.... **La fonction argumentative** ....

❽ Dans le deuxième paragraphe de la lettre, analysez la fonction des hyperboles*. Quels effets visent-elles à produire sur le lecteur ?

❾ La façon dont Gargantua nous informe d'une renaissance de la culture est-elle neutre, péjorative ou méliorative* ? Suppose-t-elle de sa part une prise de position ? Émet-il des jugements de valeur ?

❿ Analysez en suivant leur évolution dans le texte le mode et le sens des verbes employés par Gargantua. En quoi donnent-ils à cet extrait une tonalité didactique* ?

⓫ En justifiant votre réponse, déterminez le registre de langue* dans lequel est écrite la lettre.

⓬ En quoi cet extrait présente-t-il les caractéristiques d'un texte d'idées* ?

Le point de vue de l'auteur

Dans un récit littéraire, il convient de distinguer auteur, narrateur et personnage romanesque. L'auteur est la personne réelle qui écrit l'histoire ; le narrateur celui qui, au sein même du récit, la raconte ; les personnages sont ceux dont l'histoire est racontée. Sauf à les identifier comme dans le cas d'une autobiographie, les points de vue respectivement défendus par le narrateur, l'auteur et les personnages sont différents, quelquefois même antagonistes.

Lorsque dans le récit, la narration cède la place à une lettre dont l'auteur est un des personnages fictifs, la question reste alors de savoir si les idées que ce dernier soutient sont également celles

　　　　* *Cf.* Lexique.

qu'adopte l'auteur. Le problème devient d'autant plus épineux que c'est au sein d'un discours direct* du personnage et, provisoirement, en l'absence du narrateur, que le point de vue implicite* de l'auteur doit être mis à jour.

.... **Le point de vue explicite du personnage** ....

⓭ En quoi Gargantua joue-t-il successivement le rôle de père, de pédagogue, de directeur de conscience, de prêcheur ? La diversité des tons employés dans ce texte correspond-elle à la variété de ces rôles ?

⓮ Quelles sont les priorités de l'enseignement proposé par Gargantua ?

⓯ Son programme d'éducation illustre-t-il les valeurs de l'humanisme ?

.... **Le point de vue implicite de l'auteur** ....

⓰ Compte tenu du portrait de Gargantua qui nous est montré dans les chapitres précédents, ce dernier vous semble-t-il lui-même bien placé pour donner à son fils une leçon de sagesse et incarner la sagesse humaniste ?

⓱ L'ambition et l'étendue du savoir présenté dans cette lettre ne vous paraissent-elles pas démesurées ? Relevez les procédés* par lesquels Gargantua rend compte de la dimension encyclopédique de son programme.

⓲ La façon dont Pantagruel devrait mesurer ses progrès (« *Et je veux que bientôt tu mesures tes progrès* [...] » l. 59 à « [...] *envers tous et contre tous* » l. 61) ne se rapproche-t-elle pas des méthodes de la sophistique* que Rabelais n'a par ailleurs de cesse de critiquer ?

⓳ Que nous indique le fait que la lettre soit écrite d'Utopie ? Cette lettre ne consiste-t-elle pas en un éloge de l'humanisme plutôt qu'en un véritable programme éducatif ?

* *Cf.* Lexique.

L'éducation

Lectures croisées et travaux d'écriture

Selon les humanistes, la renaissance de la culture passe avant tout par une refonte de l'enseignement, comme l'illustre la création du Collège de France. Ils critiquent l'éducation de la scolastique* médiévale et de la Sorbonne. Faut-il, par exemple, concentrer l'apprentissage des langues sur le latin ? Faut-il fonder la pédagogie sur l'autorité d'un maître, abstraction faite de toute dimension affective et psychologique, et réduire l'élève au silence, à la passivité ? À l'inverse, faut-il diversifier les domaines d'étude tout en favorisant le dialogue entre le précepteur et l'élève ? Qui traite de l'éducation se doit de prendre parti quant à l'objet, la méthode et le véritable objectif de celle-ci. Pour les humanistes, la liberté occupe un rôle primordial puisque c'est elle qu'il s'agit finalement d'éduquer. Elle constitue à la fois la condition de départ et le but de l'éducation : par elle, l'élève apprend à devenir un homme de science et de conscience dont la sagesse ne se réduit plus à la simple érudition.

Jean-Jacques Rousseau, *Émile ou De l'éducation*

Penseur, citoyen de Genève, Jean-Jacques Rousseau (1712-1778) écrit en 1762 Émile ou De l'éducation. *Cet ouvrage, interdit de publication par la Sorbonne, donne aux autorités catholiques et protestantes l'occasion de persécuter son auteur en raison des thèses qu'il soutient sur la religion. Pourtant, ce livre n'a cessé d'exercer une influence sur les théories de la pédagogie. En effet, l'*Émile *traite, sous forme romanesque, de l'éducation qu'un gouverneur donne à Émile qui, bien plus qu'un enfant particulier et fictif, semble incarner l'enfant en général, l'élève idéal ou, comme cela fut reproché à Rousseau, un stéréotype.*

Vous craignez que je n'accable son esprit sous ces multitudes de connaissances. C'est tout le contraire ; je lui apprends bien plus à les ignorer qu'à les savoir. Je lui montre la route de la science, aisée à la vérité, mais longue, immense, lente à parcourir. [...]

* Cf. Lexique.

Forcé d'apprendre de lui-même, il use de sa raison et non de celle d'autrui ; car, pour ne rien donner à l'opinion, il ne faut rien donner à l'autorité ; et la plupart de nos erreurs nous viennent bien moins de nous que des autres […]. Émile a peu de connaissances, mais celles qu'il a sont véritablement siennes, il ne sait rien à demi. Dans le petit nombre de choses qu'il sait et qu'il sait bien, la plus importante est qu'il y en a beaucoup qu'il ignore et qu'il peut savoir un jour […]. Il a un esprit universel, non par les lumières, mais par la faculté d'en acquérir ; un esprit ouvert, intelligent, prêt à tout, et, comme dit Montaigne, sinon instruit, du moins instruisable. […] Encore une fois, mon objet n'est point de lui donner la science, mais de lui apprendre à l'acquérir au besoin, de la lui faire estimer exactement ce qu'elle vaut, et de lui faire aimer la vérité par-dessus tout. […] Émile n'a que des connaissances naturelles et purement physiques. Il ne sait pas même le nom de l'histoire, ni ce que c'est que métaphysique et morale. Il connaît les rapports essentiels de l'homme aux choses mais nul des rapports moraux de l'homme à l'homme. Il sait peu généraliser d'idées, peu faire d'abstractions. […] Émile est laborieux, tempérant, patient, ferme, plein de courage. […] En un mot, Émile a de la vertu tout ce qui se rapporte à lui-même. […]

Il n'exige rien de personne, et ne croit rien devoir à personne. Il est seul dans la société humaine, il ne compte que sur lui seul. Il a droit aussi plus qu'un autre de compter sur lui-même, car il est tout ce qu'on peut être à cet âge. Il n'a point d'erreurs, ou n'a que celles qui nous sont inévitables ; il n'a point de vices, ou n'a que ceux dont nul homme ne peut se garantir. Il a le corps sain, les membres agiles, l'esprit juste et sans préjugés, le cœur libre et sans passions. […] Sans troubler le repos de personne, il a vécu content, heureux et libre, autant que la nature l'a permis. Trouvez-vous qu'un enfant ainsi parvenu à sa quinzième année ait perdu les précédentes ?

Jean-Jacques Rousseau, *Émile*, livre III, 1762.

Michel Eyquem de Montaigne, *Essais*

Commencée en 1570, l'écriture des Essais *occupera Montaigne (1533-1592) jusqu'à sa mort. De façon inédite, très personnelle, l'auteur y livre ses pensées sous l'influence encore des humanistes dont il n'a pourtant plus l'enthousiasme. Sceptique à l'égard de tout discours idéalisant, Montaigne s'interroge sur les problèmes de son temps. Dans cet extrait, sous la forme d'une lettre, Montaigne adresse à Diane de Foix des conseils relatifs à l'éducation de ses futurs enfants. Plutôt que de se préoccuper du contenu de l'enseignement, il s'interroge sur la nature des rapports entre l'élève et son précepteur.*

S'agissant d'un enfant de noble maison[1] qui recherche l'étude des lettres, non pour le gain [...] ni tant pour les avantages extérieurs à y trouver que pour les siens propres, et pour s'en enrichir et s'en parer au-dedans, ayant personnellement plutôt envie d'en tirer un habile homme qu'un homme savant, je voudrais aussi qu'on ait soin de lui choisir un répétiteur[2] qui ait plutôt la tête bien faite que bien pleine, et qu'on exige l'une et l'autre chose mais davantage la valeur morale et l'intelligence que la science. Et je voudrais que ce répétiteur se conduise dans sa fonction d'une nouvelle manière.

On ne cesse de criailler à nos oreilles comme on verserait dans un entonnoir, et notre fonction, ce n'est que de redire ce qu'on nous a dit. Je voudrais qu'il corrige ce point, et que, d'emblée, selon la portée de l'âme qu'il a en main, il commence à la mettre sur la sellette[3], lui faisant tester les choses, les lui faisant choisir et distinguer d'elle-même[4]; quelquefois en lui ouvrant un chemin, quelquefois le lui laissant ouvrir. Je ne veux pas qu'il découvre et parle seul, je veux qu'il écoute son élève à parler à son tour. [...]

Il est bon qu'il le fasse trotter devant lui pour juger de son allure, et juger jusqu'à quel niveau il doit redescendre pour s'adapter à sa force. Faute de respecter cette proportion, nous gâtons tout; savoir la choisir et s'y conduire avec une bonne mesure, c'est une des tâches les plus ardues que je connaisse; et c'est l'effet d'une âme élevée, et bien forte, que de savoir s'abaisser à son rythme enfantin et le guider. Je marche d'un pas plus sûr et plus ferme en montant qu'en descendant.

Ceux qui, comme le veut notre usage, entreprennent, avec les mêmes cours et une mesure uniforme dans leur conduite, de diriger beaucoup d'esprits de mesures et de configurations si diverses, il n'y a pas à s'étonner que, dans toute une population d'enfants, ils en rencontrent à peine deux ou trois qui produisent un juste fruit de leur enseignement. [...]

C'est témoigner de sa crudité et de notre indigestion que de recracher la viande comme on l'a avalée. L'estomac n'a pas effectué son opération s'il n'a pas modifié la présentation et la forme de ce qu'on lui avait donné à cuire et à digérer.

Michel Eyquem de Montaigne, *Essais*, livre I, chapitre 26,
translation en français moderne de Bruno Roger-Vasselin,
Classiques Hachette.

---

1. de noble maison : de noble famille. **2. répétiteur :** personne dont la fonction consiste à faire travailler l'élève. **3. mettre sur la sellette :** mettre à l'épreuve. **4. la, lui, elle :** ces pronoms se rapportent à l'âme.

François Rabelais, *Gargantua*

À la suite de l'échec des précepteurs sophistes qui ont laissé grandir l'hostilité de Gargantua à l'égard de toute discipline, Ponocratès décide de prendre en main son éducation afin d'y remettre un peu d'ordre. À la différence de l'idéal éducatif que Gargantua adresse à son fils dans le **Pantagruel**, *le programme concret que propose Ponocratès semble purement pratique.*

Quand Ponocratès connut le mode de vie aberrant de Gargantua, il décida de le former tout autrement aux belles-lettres ; mais pour les premiers jours, il laissa faire, considérant que la nature ne subit pas de mutations soudaines sans grande violence.

[…] Puis il le soumit à un rythme de travail tel qu'il ne perdait pas une heure de la journée, mais consacrait au contraire tout son temps aux lettres et au noble savoir. Gargantua s'éveillait donc vers quatre heures du matin. Tandis qu'on le frictionnait, on lui lisait quelques pages des Saintes écritures […]. Puis il allait aux lieux secrets excréter le produit des digestions naturelles. Là, son précepteur répétait ce qu'on avait lu et lui expliquait les points les plus obscurs et les plus difficiles. Quand ils revenaient, ils considéraient l'état du ciel, notant s'il était tel qu'ils l'avaient remarqué le soir précédent, et en quels signes entrait le soleil, et aussi la lune ce jour-là.

[…] Ensuite pendant trois bonnes heures, on lui faisait la lecture.

Alors ils sortaient, en discutant toujours du sujet de la lecture et ils allaient se divertir […] s'exerçant élégamment le corps comme ils s'étaient auparavant exercé l'esprit.

[…] Au commencement du repas, […] si on le jugeait bon, on continuait la lecture, ou ils commençaient à deviser joyeusement tous ensemble. Pendant les premiers mois ils parlaient de la vertu, de la propriété, des effets et de la nature de tout ce qui leur était servi à table.

[…] Là-dessus, on apportait des cartes, non pas pour jouer, mais pour y apprendre mille petits jeux et inventions nouvelles qui tous découlaient de l'arithmétique.

[…] Non seulement il fut versé dans cette science, mais aussi dans les autres sciences mathématiques, comme la géométrie, l'astronomie et la musique.

[…] Puis [il] se remettait à son principal objet d'étude trois heures durant ou davantage, tant pour répéter la leçon du matin que pour poursuivre le livre entrepris, et aussi, bien tracer et former les lettres anciennes et les caractères romains.

[…] En pleine nuit, avant de se retirer, ils allaient à l'endroit le plus découvert du logis pour regarder l'aspect du ciel, et là ils remarquaient les

* *Cf.* Lexique.

comètes, s'il y en avait, les configurations, les situations, les positions, les oppositions et les conjonctions des astres.

Puis, avec son précepteur, Gargantua récapitulait brièvement, à la façon des pythagoriciens, tout ce qu'il avait lu, vu, su, fait et entendu au cours de la journée entière.

François Rabelais, *Gargantua*, chapitre 23, 1534, traduction de Madeleine Lazard.

Corpus

Texte A: Chapitre 8 du *Pantagruel* de François Rabelais (pp. 188 à 195).
Texte B: Extrait du livre III de l'*Émile* de Jean-Jacques Rousseau (pp. 201-202).
Texte C: Extrait du chapitre 26 de la première partie des *Essais* de Michel Eyquem de Montaigne (p. 203).
Texte D: Extrait du chapitre 23 du *Gargantua* de François Rabelais (p. 204).

Examen des textes

❶ Dans le texte D, analysez la façon dont le cadre spatial est présenté par le narrateur.

❷ Dans le texte D, que suggère la répétition des mots ou expressions qui marquent la chronologie du récit?

❸ Quelles sont les marques du point de vue* dans les textes B et C?

❹ Selon quels procédés* Montaigne dans le texte C critique-t-il la pédagogie traditionnelle?

❺ Dans le texte B, montrez comment l'auteur passe de la narration à la prise de position.

❻ En quoi le texte C est-il un texte argumentatif?

Travaux d'écriture

Question préliminaire
Selon les différents textes du corpus, quelles valeurs et quels objectifs l'éducation doit-elle viser?

Commentaire
Vous ferez le commentaire du texte C.

* *Cf.* Lexique.

Dissertation

On rapporte qu'au sortir d'une pièce de théâtre, un célèbre mathématicien s'est exclamé : « Qu'est-ce que cela prouve ? » En vous aidant des textes du corpus et de vos lectures personnelles, vous vous demanderez dans quelle mesure une œuvre d'art peut prouver quelque chose.

Écriture d'invention

En développant une argumentation enrichie d'exemples, écrivez un dialogue entre des personnes soutenant des thèses différentes quant aux méthodes et aux enjeux de l'éducation.

Le Maître d'école, **peinture de Adrien Van Ostade (1610-1685).** ▶

Comment Panurge enseigne une maniere bien nouvelle de bastir les murailles de Paris

[Chapitre 15]

Au cours de ses promenades parisiennes, Pantagruel fait la rencontre de Panurge, récemment évadé de Turquie. En dépit de ses mœurs et de ses discours pour le moins étranges, ce dernier devient très vite son compagnon d'aventure et son ami.

[…] «Voyez cy ces belles murailles. O que fortes sont et bien en poinct pour garder les oysons en mue[1]! Par ma barbe, elles sont competement meschantes pour une telle ville comme ceste cy : car une vache avecques un pet en abbatroit plus de six brasses[2].

5   […] Au regard des frays enormes que dictes estre necessaires si on la vouloit murer, si Messieurs de la ville[3] me voulent donner quelque bon pot de vin, je leurs enseigneray une maniere bien nouvelle, comment ilz les pourront bastir à bon marché.

– Comment dist Pantagruel ?

10   – Ne le dictes doncques mie, (respondit Panurge), si je vous l'enseigne. Je voy que les callibistrys[4] des femmes de ce pays, sont à meilleur marché que les pierres, d'iceulx fauldroit bastir les murailles, en les arrengeant par bonne symmeterye d'architecture, et mettant les plus grans au premiers rancz, et puis en taluant à doz d'asne

15   arranger les moyens, et finablement les petitz. Puis faire un beau petit entrelardement à poinctes de diamans comme la grosse tour

notes

1. oysons en mue: l'oison est le petit de l'oie. Au sens péjoratif, un oison désigne une personne crédule, simple d'esprit. Enfin, | garder un oison en mue signifie le mettre en cage pour l'engraisser. L'on comprend l'opinion que se fait Panurge des Parisiens !

Comment Panurge enseigne une manière toute nouvelle de bâtir les murailles de Paris

[Chapitre 15]

[…] Voyez ici ces belles murailles. Oh! qu'elles sont solides et bien faites pour garder les oisons en mue! Par ma barbe, elles sont tout à fait minables pour une ville comme celle-ci: car une vache, d'un seul pet, en abattrait plus de six brasses. […]

5 En ce qui concerne les frais énormes qu'il serait nécessaire de faire, selon vous, pour construire des murailles, si ces Messieurs de la ville consentent à me donner un bon pot de vin, je leur enseignerais une manière toute nouvelle de les bâtir à bon marché.

— Comment? dit Pantagruel

10 — Ne le répétez donc pas, répondit Panurge, si je vous l'enseigne. «Je vois que les callisbistrys des femmes de ce pays sont meilleur marché que les pierres. C'est avec eux qu'il faudrait bâtir les murailles en les disposant selon une architecture bien symétrique, mettant les plus grands aux premiers rangs, derrière,

15 en les entassant en forme de dos d'âne, les moyens et au dernier rang les petits. Ensuite il faudrait faire un beau petit assemblage, à

notes

2. brasses: ancienne mesure de longueur valant environ 1,6 mètre.

3. Messieurs de la ville: magistrats municipaux.
4. callibistrys: sexe.

de Bourges de tant de bracquemars[1] enroiddys qui habitent par les braguettes claustrales[2].

« Quel Diable defferoit telles murailles ? Il n'y a metal qui tant
20 resistast aux coups. Et puis que les couillevrines[3] se y vinsent froter, vous en verriez (par Dieu) incontinent distiller[4] de ce benoist fruict de grosse verolle menu comme pluye, sec au nom des diables. Dadvantaige la foudre ne tumberoit jamais dessus. Car pourquoy ? Ilz sont tous benists ou sacrez[5].

25 « Je n'y voy q'un inconvenient.

– Ho, ho, ha, ha, ha, (dist Pantagruel) et quel ?

– C'est que les mousches en sont tant friandes que merveilles, et se y cueilleroyent facillement, et y feroient leur ordure : et voylà l'ouvrage gasté. Mais voicy comment l'on y remediroit : il fauldroit
30 très bien les esmoucheter avecques belles quehues de renards, ou bons gros vietz d'azes de Provence. […]

---

notes

1. bracquemars : ce terme désigne à l'origine une épée courte puis, au sens figuré, le sexe de l'homme.
2. claustrales : les braguettes des moines.
3. couilleuvrines : Rabelais invente ce terme à partir de l'association des mots « couille » et « couleuvrine », lequel désigne un ancien

canon au tube long et fin. Il semblerait que le vocabulaire relatif aux armes de guerre et le vocabulaire relatif à l'anatomie sexuelle fassent bon ménage !
4. distiller : laisser couler goutte à goutte…
5. sacrez : car il s'agit bien des braguettes claustrales !

pointes de diamant comme la grosse tour de Bourges, avec tous ces braquemarts raidis qui habitent dans les braguettes claustrales.

Quel Diable démolirait de telles murailles ? Il n'y a pas de
20 métal aussi résistant aux coups. Et que les couilleuvrines viennent s'y frotter, vous verriez aussitôt (par Dieu !) s'épancher goutte à goutte ce fruit bénit de grosse vérole, en pluie serrée, aussi sec au nom des diables. De plus, la foudre ne tomberait jamais dessus ; pourquoi donc ? C'est qu'ils sont tous bénits ou
25 sacrés.

« Je n'y vois qu'un inconvénient.

– Ho, ho, ha, ha, ha, dit Pantagruel, et lequel ?

– C'est que les mouches en sont si friandes que c'est merveille, et qu'elles s'y rassembleraient aisément pour y faire leurs
30 ordures : et voilà l'ouvrage gâché ! Mais voici comment y remédier il faudrait les émoucheter avec de belles queues de renards ou de bonnes grosses verges d'ânes de Provence. […]

Portrait d'Arlequin.
Le personnage de Panurge n'est pas sans rappeler celui du valet nommé Arlequin, personnage central de la Commedia dell'arte (art singulier du jeu théâtral né, en Italie, d'une tradition populaire et dont la visée est comique), qui s'illustre notamment par sa fantaisie, sa ruse, sa paresse et sa gourmandise.

Des meurs et condictions de Panurge

Panurge estoit de stature moyenne, ny trop grand ny trop petit, et avoit le nez un peu aquillin[1] faict à manche de rasouer. Et pour lors estoit de l'eage de trente et cinq ans ou environ, fin à dorer comme une dague de plomb[2], bien galand homme de sa personne,

5 sinon qu'il estoit quelque peu paillard, et subject de nature à une maladie qu'on appeloit en ce temps-là,

> Faulte d'argent, c'est douleur non pareille,

toutesfoys, il avoit soixante et troys manieres d'en trouver tousjours à son besoing, dont la plus honorable et la plus commune estoit

10 par façon de larrecin[3] furtivement faict, malfaisant, pipeur, beu-veur, bateur de pavez[4], ribleur s'il en estoit à Paris : au demourant, le meilleur filz du monde, et tousjours machinoit quelque chose contre les sergeans et contre le guet[5].

A l'une foys il assembloit troys ou quatre bons rustres, les faisoit

15 boire comme Templiers[6] sur le soir ; après les menoit au dessoubz de Saincte Geneviefve ou auprès du colliege de Navarre, et à l'heure que le guet montoit par là, ce que il congnoissoit en mettant son espée sur le pavé et l'aureille auprès, et lors qu'il oyoit son espée bransler, c'estoit signe infallible que le guet estoit près, à l'heure

20 doncques, luy et ses compaignons prenoyent un tombereau[7], et luy

Des mœurs et du comportement de Panurge

[Chapitre 16]

Panurge était de taille moyenne, ni trop grand, ni trop petit, et avait le nez un peu aquilin, en forme de manche de rasoir ; il avait alors trente-cinq ans environ, fin à dorer comme une dague de plomb, bien agréable de sa personne, si ce n'est qu'il
5 était un peu fainéant et sujet par nature à une maladie qu'on appelait en ce temps-là « Manque d'argent, c'est douleur sans égale. » (Toutefois il avait soixante et trois manières d'en trouver toujours selon son besoin, dont la plus honorable et la plus commune était de commettre furtivement un larcin) ; malfai-
10 teur, trompeur, buveur, batteur de pavés, chapardeur, s'il en était à Paris ; au demeurant, le meilleur fils du monde. Il machinait toujours quelque chose contre les sergents et contre le guet.

Tantôt il rassemblait trois ou quatre bons rustres, et les faisait boire le soir comme des templiers, après quoi il les menait en
15 bas de Sainte-Geneviève ou près du collège de Navarre et à l'heure où le guet montait par là – ce qu'il savait en mettant son épée sur le pavé et en y collant son oreille : quand il entendait son épée branler, c'était le signe infaillible que le guet était proche –, à cette heure-là donc, ses compagnons et lui prenaient
20 un tombereau auquel il donnait le branle, le poussant de toute leur force dans la descente ; et ainsi ils renversaient à terre tous les pauvres soldats du guet, comme des porcs, et s'enfuyaient ensuite de l'autre côté, car en moins de deux jours, il connaissait

notes

6. **Templiers :** membres de l'ordre religieux des Templiers qui avaient la réputation d'être de bons buveurs.

7. **tombereau :** charrette à deux roues qu'il est facile de faire basculer.

213

bailloyent le bransle[1] le ruant de grande force contre l'avallée et ainsi mettoyent tout le pauvre guet par terre comme porcs, puis fuyoyent de l'aultre cousté, car en moins de deux jours, il sçeut toutes les rues, ruelles et traverses de Paris comme son *Deus det*[2].

25 A l'aultre foys faisoit en quelque belle place par où ledict guet debvoit passer une trainnée de pouldre de canon, et à l'heure que passoit mettoit le feu dedans, et puis prenoit son passe temps à veoir la bonne grace qu'il avoyent en fuyant, pensans que le feu sainct Antoine[3] les tint aux jambes. [...]

30 Et portoit ordinairement un fouet soubz sa robbe, duquel il fouettoyt sans remission les paiges[4], qu'il trouvoit portans du vin à leurs maistres, pour les avancer d'aller. En son saye[5] avoit plus de vingt et six petites bougettes et fasques toujours pleines, l'une d'un petit deau de plomb, et d'un petit cousteau affilé comme l'aguille d'un pele-

35 tier[6], dont il couppoit les bourses; l'aultre de aigrest[7] qu'il gettoit aux yeulx de ceulx qu'il trouvoit; l'aultre de glaterons[8] empenez[9] de petites plumes de oysons ou de chappons, qu'ilz gettoit sus les robes et bonnetz des bonnes gens, et souvent leur en faisoit de belles cornes qu'ilz portoyent par toute la ville, auculnesfoys toute leur vie.

40 [...] En l'aultre un tas de cornetz, tous pleins de pulses et de poux, qu'il empruntoit des guenaulx de Sainct Innocent[10], et les gettoit avecques belles petites cannes ou plumes dont on escript sur les colletz des plus sucrées damoiselles[11] qu'il trouvoit, et mesmement en l'eglise : car jamais ne se mettoit au cueur au hault, mais tousjours

45 demouroit en la nef entre les femmes, tant à la messe, à vespres, comme au sermon. En l'aultre force provision de haims et claveaulx dont il acouploit souvent les hommes et les femmes en compaignies où ilz estoient serrez ; et mesmement celles qui portoyent robbes

1. bailloyent le bransle : le mettaient en mouvement.
2. *Deus det* : prière qui suit le repas
3. le feu sainct Antoine : ergotisme, forme d'empoisonnement provoqué par la consommation de seigle avarié et qui provoque des brûlures.

4. paiges : serviteurs.
5. saye : sorte de casaque, vêtement à larges manches.
6. peletier : personne qui achète et prépare les peaux pour le commerce des fourrures.
7. aigrest : liquide aigre extrait de végétaux et proche du vinaigre.

toutes les rues, ruelles et raccourcis de Paris comme son *Que*
25   *Dieu vous donne la paix.*

Tantôt, en quelque bel endroit par où le guet devait passer, il
jetait une traînée de poudre à canon, et à l'heure du passage du
guet il y mettait le feu, puis se distrayait à voir la bonne grâce
qu'ils avaient en fuyant, croyant que le feu saint Antoine les
30   tenait aux jambes. [...]

Il portait ordinairement un fouet sous sa robe avec lequel il
fouettait sans rémission les pages qu'il voyait porter du vin à
leurs maîtres, pour les faire avancer plus vite.

Dans sa casaque, il avait plus de vingt-six petites bourses et
35   petites poches toujours pleines, l'une d'un petit dé de plomb et
d'un petit couteau, aiguisé comme l'aiguille d'un pelletier, avec
lequel il coupait les bourses ; l'autre de verjus qu'il jetait aux
yeux de ceux qu'il rencontrait ; l'autre de gratterons garnis de
petites plumes d'oisons ou de chapons qu'il jetait sur les robes
40   et les bonnets des bonnes gens, et souvent il leur en faisait de
belles cornes qu'ils portaient par toute la ville, quelquefois
toute leur vie.

[...] Dans une autre, il y avait un tas de cornets tout pleins de
puces et de poux qu'il empruntait aux gueux de Saint-Innocent
45   et il les jetait, avec de belles petites sarbacanes ou avec des
plumes pour écrire sur les cols des demoiselles les plus sucrées
qu'il rencontrait, et de préférence à l'église : car il ne se mettait
jamais dans le chœur, en haut, mais il restait toujours dans la nef,
avec les femmes, aussi bien à la messe, aux vêpres qu'au sermon.

50   Dans une autre, une bonne provision d'hameçons et de crochets avec lesquels il accouplait souvent les hommes et les
femmes serrés dans une foule, et surtout celles qui portaient des

---

notes

8. glaterons : petites boules d'origine
végétale qui s'accrochent aux vêtements.
9. empenez : garnir de plumes. Les pennes
désignent chacune les grandes plumes
situées sur les ailes ou sur la queue.

10. Sainct Innocent : cimetière et lieu de
rassemblement des mendiants.
11. sucrées damoiselles : les plus
maniérées, les plus précieuses.

de tafetas armoisy et, à l'heure qu'elles se vouloyent departir, elles
50 rompoyent toutes leurs robbes. [...]

En l'aultre avoit provision de fil et d'agueilles, dont il faisoit mille
petites diableries. Une foys à l'issue du palays à la Grand Salle[1], lors
que un cordelier disoit la messe de Messieurs[2] : il luy ayda à soy habiller
et revestir, mais en l'acoustrant il luy cousit l'aulbe[3] avec sa robbe et
55 chemise, et puis se retira quand Messieurs de la Court vindrent s'asseoir pour ouyr icelle messe. Mais quand ce fut à *Ite, Missa est*[4], que
le pauvre frater se voulut devestir son aulbe, il emporta ensemble et
habit et chemise, qui estoyent bien cousuz ensemble, et se rebrassit
jusques aux espaules [...].

60 Item il avoit un aultre poche pleine de alun de plume, dont il gettoit dedans le doz des femmes qu'il voyoit les plus acrestées, et les
faisoit despouiller devant tout le monde, les aultres dancer comme
jau sur breze ou bille sur tabour, les aultres courir les rues, et luy
après couroit : et à celles qui se despouilloyent il mettoit sa cappe
65 sur le doz comme hommes courtoys et gracieux. Item en un aultre
il avoit une petite guedoufle pleine de vieille huyle, et quand il trouvoit ou femme ou homme qui eust quelque belle robbe, il leurs
engressoit et guastoit tous les plus beaulx endroictz, soubz le semblant de les toucher et dire : «Voicy de bon drap, voicy bon satin,
70 bon tafetas, Madame ; Dieu vous doint ce que vostre noble cueur
desire ! Voz avés robbe neufve, novel amy, Dieu vous y maintienne ! »
Ce disant leurs mettoit la main sur le collet, ensemble la male tache
y demeuroit perpetuellement, si enormement engravée en l'ame,
en corps, et renommée, que le diable ne l'eust poinct ostée [...].

---

notes

1. Grand Salle : c'est-à-dire le Parlement.
2. Messieurs : membres du Parlement.

3. aulbe : habit que le prêtre doit revêtir pour célébrer la messe.

4. *Ite, missa est :* «Allez, la messe est dite. » Formule qui indique que la messe est finie.

robes de taffetas mince et, au moment où elles voulaient s'en aller, elles déchiraient toutes leurs robes. [...]

55 Dans une autre, il avait une provision de fil et d'aiguilles dont il faisait mille petites diableries. Une fois, à la sortie du Palais, dans la Grande Salle, alors qu'un cordelier disait la messe des Messieurs, il l'aida à s'habiller et à se vêtir ; mais en l'aidant à se préparer, il cousit son aube avec sa robe et sa chemise ; puis il se

60 retira quand les Messieurs de la Cour vinrent s'asseoir pour entendre cette messe. Mais quand on fut à l'*Ite missa est*, et que le pauvre frère voulut retirer son aube, il enleva en même temps l'habit et la chemise qui étaient bien cousus avec, et se retroussa jusqu'aux épaules [...].

65 De même il avait une autre poche pleine de poil à gratter qu'il jetait dans le dos des femmes qui lui semblaient les plus arrogantes : il les faisait ainsi se dévêtir devant tout le monde, danser comme coq sur braise ou bille sur tambour, ou courir dans les rues, et il leur courait après et mettait sa cape sur le dos

70 de celles qui se dévêtaient, en homme courtois et galant.

De même, dans une autre, il avait un petit flacon plein de vieille huile et quand il rencontrait un homme ou une femme avec une belle robe, il leur graissait et salissait tous les plus beaux endroits, sous le prétexte de les toucher et de dire : « Voici du bon

75 drap, du bon satin, du bon taffetas, madame ; Dieu vous donne ce que votre noble cœur désire : vous avez robe neuve et nouvel amant ; que Dieu vous les garde ! » En disant cela, il mettait sa main sur leur col, du même coup la laide tache y demeurait perpétuellement, si profondément gravée dans l'âme, dans le corps

80 et dans la renommée que le diable ne l'aurait pas ôtée [...].

Comment Panurge feist quinaud[1] l'Angloys, qui arguoit par signe

[Chapitre 19]

Face à la renommée grandissante de Pantagruel, Thaumaste, un « grand savant », tout droit débarqué d'Angleterre, décide alors de mesurer sa connaissance à la sienne. Mais c'est Panurge qui se charge de lui régler son compte…

Adoncques tout le monde assistant et escoutant en bonne silence, l'Angloys leva hault en l'air les deux mains separement, clouant toutes les extremitez des doigtz en forme qu'on nomme en Chinonnoys[2] cul de poulle[3], et frappa de l'une l'aultre par les ongles quatre foys; puys les ouvrit, et ainsi à plat de l'une frappa l'aultre en son strident, une foys de rechief les joignant comme dessus frappa deux foys, et quatre foys de rechief les ouvrant. Puys les remist joinctes et extendues l'une jouxte l'aultre, comme semblant devotement Dieu prier.

Panurge soubdain leva en l'air la main dextre, puys d'ycelle mist le poulse dedans la narine d'ycelluy cousté, tenant les quatre doigtz estenduz et serrez par leur ordre en ligne parallelle à la pene du nez, fermant l'œil gausche entierement et guaignant du dextre avecques profonde depression de la sourcile et paulpiere. […]

Thaumaste commença paslir et trembler, et luy feist tel signe. De la main dextre il frappa du doigt meilliu contre le muscle de la vole, qui est au dessoubz le poulce, puis mist le doigt indice de la

note

1. quinaud : se moquer de quelqu'un par des grimaces, des gestes. En moyen français, *quin* signifie « singe ». Rabelais va ici faire la parodie théâtralisée d'un débat sophistique.

Comment Panurge dama le pion à l'Anglais qui argumentait par signes

[Chapitre 19]

Donc, alors que tout le monde était là et écoutait dans un parfait silence, l'Anglais leva les deux mains haut en l'air séparément, fermant les extrémités de tous les doigts en cul de poule, comme on dit en Chinonais, et les frappa quatre fois l'une
5   contre l'autre avec les ongles, puis il les ouvrit et ainsi il frappa l'une contre l'autre le plat de ses mains en faisant un bruit strident. Il les joignit une seconde fois, comme il venait de le faire, frappa deux fois et quatre fois de nouveau en les ouvrant. Puis il les joignit encore et les étendit l'une contre l'autre, comme s'il
10 semblait prier Dieu dévotement.

Panurge aussitôt leva en l'air la main droite, puis mit le pouce de cette main dans la narine du même côté, tenant les quatre doigts tendus et serrés dans l'ordre, parallèlement à l'arête du nez. Il ferma complètement l'œil gauche et visa avec le droit en
15 abaissant profondément le sourcil et la paupière. […]

Thaumaste commença à pâlir et à trembler et il lui fit ce signe. De sa main droite il frappa avec le majeur le muscle de la paume

notes

2. Chinonnoys : de la région de Chinon.
3. en forme [...] cul de poulle : de forme arrondie et resserrée.

dextre en pareille boucle de la senestre : mais il le mist par dessoubz, non par dessus comme faisoit Panurge. […]

20 Thaumaste de grand hahan se leva, mais en se levant fist un gros pet de boulangier : car le bran[1] vint après, et pissa vinaigre bien fort, et puoit comme tous les diables, les assistans commencerent se estouper les nez, car il se conchioit de angustie. Puis leva la main dextre, la clouant en telle faczon, qu'il assembloit les boutz de tous

25 les doigt ensemble, et la main gauche assist toute pleine sur la poictrine. À quoy Panurge tira sa longue braguette avecques son floc[2], et l'estendit d'une couldée[3] et demie, et la tenoit en l'air de la main gauche, et de la dextre print sa pomme d'orange, et, la gettant en l'air par sept foys, à la huytiesme la cacha au poing de la dextre, la

30 tenant en hault tout coy, puis commença secouer sa belle braguette, la monstrant à Thaumaste.

Après cella Thaumaste commença enfler les deux joues comme un cornemuseur et souffloit, comme se il enfloit une vessie de porc. […]

35 Dont Panurge mist les deux maistres doigtz à chascun cousté de la bouche le retirant tant qu'il pouvoit et monstrant toutes ses dentz : et des deux poulses rabaissoit les paulpiers des yeulx bien parfondement, en faisant assez layde grimace selon que sembloit es assistans.

notes

1. **bran** : matière fécale.
2. **floc** : houppe de soie parée de toutes les couleurs dont Panurge se sert pour orner le bout de sa braguette et dans laquelle il avait disposé une orange.
3. **une couldée** : ancienne mesure de longueur valant environ 50 centimètres.

qui est sous le pouce, puis avec l'index de la droite il forma une
boucle semblable à celle de la gauche ; mais il le mit par-dessous,
20 et non par-dessus, comme Panurge. [...]

Thaumaste se leva à grand peine, mais en se levant, il fit un
gros pet de boulanger : car l'étron suivit ; il pissa vinaigre bien
fort, et il puait comme tous les diables. L'assistance commença à
se boucher le nez, car il chiait d'anxiété. Puis il leva la main
25 droite, la fermant de façon à rassembler les extrémités de tous les
doigts et posa la main gauche bien à plat sur sa poitrine. Sur ce
Panurge tira sa longue braguette avec sa houppe, et l'étendit
d'une coudée et demie ; il la tenait en l'air de la main gauche, de
la droite prit son orange qu'il jeta en l'air par sept fois et, à la
30 huitième, il la cacha dans son poing droit, la tenant en haut,
immobile, puis il commença à secouer sa belle braguette, en la
montrant à Thaumaste.

Après cela, Thaumaste commença à enfler les deux joues
comme un joueur de cornemuse et souffla comme s'il gonflait
35 une vessie de porc. [...]
Aussi Panurge mit-il les deux grands doigts de chaque côté de la
bouche, tirant tant qu'il pouvait et montrant toutes ses dents, et
avec les deux pouces il rabaissait très profondément ses paupières,
en faisant une grimace assez laide comme il sembla à l'assistance.

La Bataille de San Romano, peinture de Paolo Uccello (1396-1475). Si le thème de la guerre n'a rien d'original, la façon dont le représente Uccello témoigne d'une double influence : d'une part, ce tableau, comparable à une frise, s'inspire des tapisseries médiévales et, d'autre part, utilise les règles de la perspective telles qu'elles seront reprises et perfectionnées par les peintres de la Renaissance. Une telle rencontre entre tradition médiévale et Renaissance se retrouve également chez Rabelais.

Comment Pantagruel deffit les troys cens geans armez de pierres de taille[1], et Loup Garou leur capitaine

[Chapitre 29]

Peu après la mort de son père Gargantua, Pantagruel apprend que les Dipsodes dirigés par Anarche, roi des géants, ont envahi le royaume d'Utopie. Aussi, entouré de ses fidèles compagnons, part-il en guerre contre les envahisseurs. La bataille tourne vite à son avantage : ses adversaires périssent en effet noyés dans un flot d'urine ! Pourtant, le roi Anarche est sauvé in extremis par les géants qui s'empressent aussitôt de revenir à la charge avec, à leur tête, Loup Garou.

[...] voicy arriver Loup Garou avecques tout ses geans, lequel voyant Pantagruel seul, feut esprins de temerité et oultrecuidance[2], par espoir qu'il avoit de occire le pauvre bon hommet. [...]

Loup Garou doncques s'adressa à Pantagruel avec une masse
5   toute d'acier, pesante neuf mille sept cens quintaulx deux quarterons[3], d'acier de Calibes[4] au bout de laquelle estoient treze
poinctes de dyamans, dont la moindre estoit aussi grosse comme
la plus grande cloche de Nostre Dame de Paris [...] et estoit phée,
en maniere que jamais ne pouvoit rompre, mais au contraire, tout
10   ce qu'il en touchoit rompoit incontinent. Ainsi doncques, comme
il approuchoit en grande fierté, Pantagruel jectant ses yeulx au

notes

1. **pierres de taille** : grosses pierres taillées pour servir à la construction.
2. **oultrecuidance** : confiance excessive en soi.

3. **quintaulx [...] quarterons** : un quintal équivaut à 50 kilos ; un quarteron équivaut au quart d'une livre, soit environ 125 g.

224

Comment Pantagruel défit les trois cents géants armés de pierre de taille, et Loup Garou, leur capitaine

[Chapitre 29]

[…] voici arriver Loup Garou avec tous ses géants ; en voyant Pantagruel tout seul, il fut pris de témérité et d'outrecuidance, dans l'espoir qu'il avait de tuer le pauvre petit bonhomme. […]

Loup Garou se dirigea donc vers Pantagruel avec une massue
5 d'acier pesant neuf mille sept cents quintaux et deux quarterons, en acier des Chalybes, au bout de laquelle il y avait treize pointes de diamants, dont la plus petite était aussi grosse que la plus grande cloche de Notre-Dame de Paris […], et elle était magique, si bien qu'elle ne pouvait jamais se briser, mais au
10 contraire tout ce qui la touchait se brisait sur-le-champ.

Ainsi donc, comme il s'approchait d'un air tout à fait féroce, Pantagruel, levant les yeux au ciel se recommanda à Dieu de

note

4. Calibes : peuple d'Asie Mineure. L'acier qu'il fabriquait avait, dans l'Antiquité, très bonne réputation.

ciel se recommanda à Dieu de bien bon cueur, faisant veu tel comme s'ensuyt.

« Seigneur Dieu qui tousjours as esté mon protecteur et mon ser-
15 vateur, tu vois la destresse en laquelle je suis maintenant. Rien icy ne me amene, sinon zele naturel, ainsi comme tu as octroyé es humains de garder et defendre soy, leurs femmes, enfans, pays, et famille, en cas que ne seroit ton negoce propre, qui est la foy [...]. Doncques s'il te plaist à ceste heure me estre en ayde, comme en toy seul est ma
20 totale confiance et espoir, je te fais veu que par toutes contrées tant de ce pays de Utopie que d'ailleurs, où je auray puissance et aucto-rité, je feray prescher ton sainct Evangile, purement, simplement et entierement, si que les abus d'un tas de papelars[1] et faulx prophetes, qui ont par constitutions humaines et inventions depravées enve-
25 nimé tout le monde, seront d'entour moy exterminez. »

Alors feut ouye une voix du ciel, disant *Hoc fac et vinces*, c'est à dire : « Fais ainsi, et tu auras victoire. » Puys voyant Pantagruel que Loup Garou approcheoit la gueulle ouverte, vint contre luy hardi-ment et s'escrya tant qu'il peut : « A mort, ribault, à mort ! » pour
30 luy faire paour, selon la discipline des Lacedemoniens[2], par son hor-rible cry. Puis luy getta de sa barque, qu'il portoit à sa ceincture, plus de dix et huyct cacques[3] et un minot[4] de sel, dont il luy emplit et gorge et gouzier, et le nez et les yeulx[5].

[...] mais Loup Garou, haussant sa masse, avancea son pas sur luy
35 et de toute sa force la vouloit enfoncer sur Pantagruel : de faict, en donna si vertement que, si Dieu n'eust secouru le bon Pantagruel, il l'eust fendu despuis le sommet de la teste jusques au fond de la ratelle ; mais le coup declina à droict par la brusque hastiveté de Pantagruel. Et entra sa masse plus de soixante et treize piedz[6] en

---

notes

1. papelars : personne dont la foi comme la dévotion sont fausses.
2. Lacedemoniens : Spartiates ; leur cruauté fit couler autant de sang que d'encre !
3. cacques : tonneau où l'on conserve le hareng salé.

4. minot : ancienne mesure de capacité valant environ 40 litres.
5. gorge et gouzier, et le nez et les yeulx : n'oublions pas que Pantagruel a le pouvoir d'assoiffer les gens...

tout son cœur et fit le vœu suivant : « Seigneur Dieu, toi qui as toujours été mon protecteur et mon sauveur, tu vois dans quelle détresse je suis maintenant. Rien d'autre ne m'amène ici qu'une ardeur naturelle, puisque tu as octroyé aux hommes de se protéger et de se défendre, eux, leurs femmes, leurs enfants, leurs pays et leurs familles, dans les cas où tes intérêts propres, c'est-à-dire la défense de la foi, ne sont pas en jeu [...]. Donc, s'il te plaît maintenant de venir à mon aide, puisque c'est en toi seul que sont mon entière confiance et mon espoir, je te fais le vœu que, dans toutes les contrées de ce pays d'Utopie comme d'ailleurs où j'aurai puissance et autorité, je ferai prêcher ton saint Évangile purement, simplement et entièrement, si bien que les abus d'un tas de papelards et de faux prophètes qui, par des constitutions humaines et des inventions dépravées, ont empoisonné le monde entier, seront entièrement réprimés dans mon entourage. »

On entendit alors une voix dans le ciel qui disait : *Hoc fac et vinces*, c'est-à-dire : « Fais ainsi, et tu auras la victoire. »

Puis Pantagruel, voyant que Loup Garou approchait la gueule ouverte, s'avança vers lui hardiment et s'écria de toutes ses forces : « À mort, coquin ! à mort ! » pour lui faire peur, à la manière des Lacédémoniens, par son horrible cri. Puis du baril qu'il portait à sa ceinture, il lui jeta plus de dix-huit caques et un minot de sel, avec lesquels il lui emplit la gorge, le gosier, le nez et les yeux.

[...] Loup Garou avança sur lui et, levant sa massue, il cherchait à l'assener de toutes ses forces sur Pantagruel. De fait, il frappa si vigoureusement que, si Dieu n'avait pas secouru le bon Pantagruel, il l'aurait fendu depuis le sommet de la tête jusqu'au fond de la rate ; mais le coup dévia vers la droite, à cause de la brusque rapidité de Pantagruel ; la massue entra à plus de soixante-treize

notes
_____

| **6. piedz** : ancienne unité de mesure valant une trentaine de centimètres.

40 terre à travers un gros rochier, dont il feist sortir le feu plus gros que neuf mille six tonneaux. Voyant Pantagruel qu'il s'amusoit à tirer sa dicte masse qui tenoit en terre entre le roc, luy court sus, et luy vouloit avaller la teste tout net : mais son mast de male fortune toucha un peu au fust de la masse de Loup Garou qui estoit phée

45 (comme nous avons dict devant). Par ce moyen son mast luy rompit à troys doigtz de la poignée. Dont il feut plus estonné qu'un fondeur de cloches[1], et s'escria :

« Ha Panurge, où es tu ? »

Ce que ouyant Panurge, dict au roy et aux geans :

50 « Par Dieu ilz se feront mal, qui ne les departira. » Mais les Geans estoient aises comme s'ilz feussent de nopces.

Lors Carpalim se voulut lever de là pour secourir son maistre, mais un geant luy dist :

« Par Golfarin[2] nepveu de Mahon, si tu bouges d'icy je te mettray

55 au fond de mes chausses comme on faict d'un suppositoire [...]. »

Ce pendent [...] Pantagruel le frappa du pied un si grand coup contre le ventre, qu'il le getta en arriere à jambes rebindaines, et vous le trainnoyt ainsi à l'escorche cul plus d'un traict d'arc. Et Loup Garou s'escrioit rendant le sang par la gorge :

60 « Mahon, Mahon, Mahon. »

A quelle voix se leverent tous les geans pour le secourir. Mais Panurge leur dist :

« Messieurs n'y alez pas si m'en croyez : car nostre maistre est fol, et frappe à tors et à travers, et ne regarde poinct (où) il vous don-

65 nera malencontre. »

Mais les Geans n'en tindrent compte, voyant que Pantagruel estoit sans baston. Lorsque aprocher les veid Pantagruel, print Loup Garou par les deux piedz et son corps leva comme une picque[3] en l'air, et

notes ....

1. il feut plus estonné qu'un fondeur de cloches : expression proverbiale. En effet, lorsqu'il ôte le moule, le fondeur découvre parfois avec stupéfaction que la cloche s'est elle-même brisée.

2. Golfarin : Rabelais forme ce nom à partir du mot goinfre qui, dans les romans de chevalerie médiévaux, désignait les infidèles, à savoir les musulmans. Mais Golfarin, neveu de Mahon (Mahomet),

228

pieds en terre à travers un gros rocher, d'où elle fit jaillir une
45 flamme plus grosse que neuf mille six tonneaux.

Pantagruel voyant qu'il s'attardait à tirer ladite massue qui
demeurait en terre au milieu du rocher, lui court dessus et voulait lui abattre la tête tout net ; mais son mât, par malheur, toucha
un peu le bois de la massue de Loup Garou qui était magique
50 (comme nous l'avons dit plus haut).

De la sorte, son mât se brisa à trois doigts de la poignée. Il en
fut plus étonné qu'un fondeur de cloches et s'écria : « Ah !
Panurge, où es-tu ? »

Entendant cela, Panurge dit au roi et aux géants : « Par Dieu, ils
55 vont se faire mal, si on ne les sépare pas. » Mais les géants étaient
bien aises, comme s'ils étaient à la noce.

Carpalim voulut alors se lever de là pour secourir son maître,
mais un géant lui dit : « Par Golfarin, petit-fils de Mahomet, si tu
bouges d'ici, je te mettrai au fond de mes chausses, comme un
60 suppositoire ! [...] »

Cependant [...] Pantagruel frappa Loup Garou d'un si grand
coup de pied au ventre qu'il le jeta en arrière les jambes en l'air et
vous le traînait ainsi à l'écorche-cul sur plus d'une portée d'arc.

Loup Garou s'écriait, en rendant le sang par la gorge :
65 « Mahomet ! Mahomet ! Mahomet ! »

À ce cri les géants se levèrent pour le secourir, mais Panurge
leur dit :

« Messieurs, n'y allez pas, si vous m'en croyez, car notre maître
est fou et frappe à tort et à travers, sans regarder où. Il va vous
70 faire du mal. »

Mais les géants n'en tinrent pas compte, en voyant que Pantagruel était sans arme. Lorsqu'il les vit approcher, Pantagruel prit
Loup Garou par les deux pieds, leva son corps comme une

notes

est une pure invention. Ceci indique que la
guerre opposant Loup Garou et Pantagruel
sera une parodie des scènes de bataille et

autres sanglants récits de croisades, tels
qu'ils furent écrits au Moyen Âge.
3. picque : arme comparable à une lance.

d'icelluy armé d'enclumes frappoit parmy ces geans armez de pierres
70 de taille, et les abbatoit comme un masson faict de couppeaulx, que
nul arrestoit devant luy qu'il ne ruast par terre. [...]

Panurge ensemble Carpalim et Eusthenes ce pendent esgorge-
toyent ceulx qui estoyent portez par terre. [...] Finalement voyant
que tous estoient mors getta le corps de Loup Garou tant qu'il peut
75 contre la ville, et tomba comme une grenoille sus ventre en la place
mage de ladicte ville, et en tombant du coup tua un chat bruslé,
une chatte mouillée, une canne petiere[1], et un oyson bridé[2].

230

pique, et avec celui-ci, qui était armé d'enclumes, il frappait
75 parmi les géants armés de pierres de taille et les abattait comme
on fait tomber des éclats de pierre si bien que personne ne se
trouvait face à lui sans être renversé à terre […].

Panurge, avec Carpalim et Eusthénès, égorgetaient pendant ce
temps-là ceux qui étaient tombés à terre. […]

80 Finalement, voyant qu'ils étaient tous morts, Pantagruel jeta
de toutes ses forces dans la ville le corps de Loup Garou qui
tomba comme une grenouille sur le ventre au milieu de la
grand-place de la ville, et, en tombant, tua du coup un chat
brûlé, une chatte mouillée, une cane petière, et un oison bridé.

Comment Pantagruel de sa langue couvrit toute une armée, et de ce que l'auteur veit dedans sa bouche

[Chapitre 32]

Ainsi que Pantagruel avecques toute sa bande entrerent es terres des Dipsodes, tout le monde en estoit joyeux, et incontinent se rendirent à luy, et de leur franc vouloir luy apporterent les clefz de toutes les villes où il alloit, exceptez les Almyrodes[1] qui voulurent

5 tenir contre luy et feirent responce à ses heraulx[2], qu'ilz ne se renderoyent sinon à bonnes enseignes.

« Quoy, dict Pantagruel, en demandent ilz meilleures que la main au pot et le verre au poing ? Allons, et qu'on me les mette à sac. »

Adonc tous se mirent en ordre comme deliberez de donner

10 l'assault.

Mais on chemin passant une grande campaigne, furent saisiz d'une grosse housée de pluye. À quoy commencerent à se tresmousser et se serrer l'un l'autre. Ce que voyant Pantagruel, leur fist dire par les capitaines que ce n'estoit rien, et qu'il veoit bien

15 au dessus des nuées que ce ne seroit qu'une petite rousée, mais à toutes fins qu'ilz se missent en ordre et qu'il les vouloit couvrir. Lors se mirent en bon ordre et bien serrez, et Pantagruel tira sa langue seulement à demy, et les en couvrit comme une geline faictz ses poulletz. [...] Doncques le mieulx que je[3] peuz montay par dessus

20 et cheminay bien deux lieues[4] sus sa langue tant que entray dedans sa bouche.

notes

1. **Almyrodes**: emprunté à T. More, ce terme signifie étymologiquement « salé ».
2. **heraulx**: messager militaire.
3. **je**: il s'agit ici du narrateur qui raconte

l'histoire de Pantagruel, à savoir Alcofribas Nasier, anagramme* de François Rabelais.
4. **deux lieues**: une lieue équivaut à peu près à 4 kilomètres.

Comment Pantagruel couvrit de sa langue toute une armée et ce que l'auteur vit dans sa bouche

[Chapitre 32]

Tandis que Pantagruel avec toute sa bande entrait dans les terres des Dipsodes, tous les gens s'en réjouissaient, se rendirent aussitôt à lui et, de leur plein gré lui apportèrent les clés de toutes les villes où il allait, à l'exception des Almyrodes qui vou-
5 lurent lui résister et répondirent à ses hérauts qu'ils ne se rendraient que sur de bonnes garanties.

« Quoi donc, dit Pantagruel, en demandent-ils de meilleures que la main au pot et le verre au poing ? Allons, et qu'on me les mette à sac. »
10 Aussi tous se mirent-ils en ordre, comme décidés à donner l'assaut.

Mais en chemin, passant dans une grande plaine, ils furent surpris par une grosse averse. Sur quoi, ils commencèrent à se trémousser et à se serrer les uns contre les autres. Voyant cela,
15 Pantagruel leur fit dire par les capitaines que ce n'était rien, et qu'il voyait bien, au-dessus des nuées, que ce ne serait qu'une petite ondée, mais, à toutes fins utiles, qu'ils se mettent en ordre, car il voulait les couvrir.

Ils se mirent alors en bon ordre, bien serrés et Pantagruel tira
20 sa langue, à moitié seulement, et les couvrit comme une poule couvre ses poussins. [...]

Je montai donc par-dessus de mon mieux et je cheminai bien deux lieues sur sa langue, tant et si bien que j'entrai dans sa bouche. Mais, ô dieux et déesses, que vis-je là ? Que Jupiter
25 m'abatte de sa triple foudre si je mens. J'y cheminais comme

Mais ô Dieux et Deesses, que veiz je là ? Juppiter me confonde de sa fouldre trisulque si j'en mens[1]. Je y cheminoys comme l'on faict en Sophie[2] à Constantinoble et y veiz de grands rochiers comme les

25 mons des Dannoys, je croy que c'estoient ses dentz[3], et de grands prez, de grandes foretz, de fortes et grosses villes non moins grandes que Lyon ou Poictiers. Le premier que y trouvay, ce fut un bon homme qui plantoit des choulx[4]. Dont tout esbahy luy demanday :

« Mon amy que fais tu icy ?

30 – Je plante (dist il) des choulx.

– Et à quoy ny comment, dis je ?

– Ha Monsieur (dist il) chascun ne peut avoir les couillons aussi pesant q'un mortier, et ne pouvons estre tous riches. Je gaigne ainsi ma vie : et les porte vendre au marché en la cité qui est icy derrière.

35 – Jesus, dis je, il y a icy un nouveau monde ?

– Certes (dist il) il n'est mie nouveau : mais l'on dist bien que hors d'icy y a une terre neufve où ilz ont et soleil et lune et tout plein de belles besoignes, mais cestuy cy est plus ancien.

– Voire mais (dis je) mon amy, comment a nom ceste ville où tu

40 portes vendre tes choulx ?

– Elle a (dist il) nom Aspharage[5], et sont christians, gens de bien et vous feront grande chere. »

Bref, je deliberay d'y aller.

Or en mon chemin je trouvay un compaignon qui tendoit aux

45 pigeons. Auquel je demanday :

« Mon amy dont vous viennent ces pigeons icy ? »

– Cyre (dist il) ils viennent de l'aultre monde. »

Lors je pensay que quand Pantagruel basloit, les pigeons à pleines volées entroyent dedans sa gorge, pensans que feust un colombier. [...]

notes ....

1. **Juppiter me confonde de sa fouldre trisulque si j'en mens :** dans les représentations traditionnelles, Juppiter est pourvu d'une foudre à triple pointe. Mais le narrateur ne prend pas trop de risques pour nous rassurer sur sa bonne foi concernant la véracité de son récit !

2. **Sophie :** basilique située à Constantinople (aujourd'hui Istanbul) en Turquie et connue pour sa somptuosité.
3. **ses dentz :** la première syllabe de «Danois» doit se prononcer comme «dent»; cela explique cette précision géographique pour le moins fantasque !

l'on fait à Sainte-Sophie, à Constantinople, et j'y vis des rochers grands comme les monts des Danois (je crois que c'étaient ses dents), et de grands prés, d'imposantes et grosses villes, non moins grandes que Lyon ou Poitiers.

30   Le premier individu que j'y rencontrai, ce fut un bonhomme qui plantait des choux. Aussi, tout ébahi, je lui demandai : « Mon ami, que fais-tu ici ?

    – Je plante des choux, dit-il.

    – Et pourquoi et comment ? dis-je.

35   – Ah ! monsieur, dit-il, tout le monde ne peut pas avoir un poil dans la main et nous ne pouvons être tous riches. Je gagne ainsi ma vie, et je vais les vendre au marché dans la cité qui est là-derrière.

    – Jésus ! dis-je, il y a ici un nouveau monde ?

40   – Certes, dit-il, il n'est pas nouveau ; mais l'on dit bien que, hors d'ici, il y a une nouvelle terre où ils ont et soleil et lune, et tout plein de belles affaires ; mais celui-ci est plus ancien.

    – Oui, mais, dis-je, mon ami, quel est le nom de cette ville où tu vas vendre tes choux ?

45   – On la nomme Aspharage, dit-il, les habitants sont chrétiens, ce sont des gens de bien, ils vous feront bon accueil. »

    Bref, je décidai d'y aller.

    Or, sur mon chemin, je rencontrai un compagnon qui tendait des filets aux pigeons et je lui demandai : « Mon ami, d'où vous

50 viennent ces pigeons-ci ?

    – Sire, dit-il, ils viennent de l'autre monde. » Je pensai alors que, quand Pantagruel bâillait, les pigeons entraient à toute volée dans sa gorge, croyant que c'était un colombier. […]

notes

4. choulx : au XVIᵉ siècle, à l'heure des grandes découvertes parmi lesquelles celles de nouveaux mondes, Rabelais s'amuse à déjouer notre attente : plutôt que d'y trouver des éléments fantastiques, nous ne trouverons dans ce nouveau monde que des banalités telles que celle d'un planteur de choux… Rabelais parodie ici les nombreux récits de voyage qui témoignent de cette quête d'un autre monde.
5. Aspharage : signifie en grec arrière-gorge, gosier.

50 De là partant passay entre les rochiers, qui estoient ses dentz, et feis tant que je montay sus une, et là trouvay les plus beaulx lieux du monde, beaulx grands jeux de paulme, belles galeries, belles praries, force vignes, et une infinité de cassines à la mode Italicque, par les champs pleins de delices : et là demouray bien quatre moys et

55 ne feis oncques telle chere pour lors. Puis descendis par les dentz du derriere pour venir aux baulievres, mais en passant je fus destroussé des brigans par une grande forest que est vers la partie des aureilles. Puis trouvay une petite bourgade à la devallée, j'ay oublié son nom, où je feiz encore meilleure chere que jamais, et gaignay

60 quelque peu d'argent pour vivre. Sçavez-vous comment ? A dormir, car l'on loue les gens à journée pour dormir, et gaignent cinq et six solz par jour, mais ceulx qui ronflent bien fort gaignent bien sept solx et demy. Et contois aux senateurs comment on m'avoit destroussé par la valée ; lesquelz me dirent que pour tout vray les gens

65 de delà estoient mal vivans et brigans de nature. A quoy je congneu que ainsi que nous avons les contrées de deçà et delà les montz, aussi ont ilz deçà et delà les dentz. Mais il fait beaucoup meilleur deçà, et y a meilleur air.

[…] Finablement vouluz retourner, et, passant par sa barbe, me

70 gettay sus ses epaulles, et de là me devallé en terre et tombé devant luy. Quand il me apperceut il me demanda : «Dont viens tu, Alcofribas ?» Je luys responds : «De vostre gorge Monsieur.

– Et despuis quand y es tu, dist il ?

– Despuis (dis je) que vous alliez contre les Almyrodes.

75 – Il y a (dist il) plus de six moys. Et de quoy vivois tu ? Que beuvoys tu ?» Je responds : «Seigneur de mesmes vous, et des plus frians morceaulx qui passoient par vostre gorge, j'en prenois le barraige[1]. […] »

– Voire mais (dist il) où chioys tu ?

– En vostre gorge Monsieur, dis je.

80 – Ha, ha, tu es gentil compaignon (dist il). […]

note

| **1. barraige :** droits de douane, comparables à nos péages.

236

Partant de là, je passai entre les rochers, qui étaient ses dents, et
fis tant et si bien que je montai sur l'une d'elles; là je trouvai les
plus beaux lieux du monde, de beaux et grands jeux de paume,
de belles galeries, de belles prairies, force vignes et une infinité
de villas à l'italienne dans les champs pleins de délices, et là je
demeurai bien quatre mois, et je ne menai jamais meilleure vie
qu'alors.

Puis je redescendis par les dents de derrière pour aller aux
lèvres; mais en passant, je fus détroussé par des brigands dans
une grande forêt qui se trouve du côté des oreilles. Puis, à la
descente, je trouvai une petite bourgade dont j'ai oublié le nom,
où je vécus encore mieux que jamais et gagnai quelque argent
pour vivre. Savez-vous comment? À dormir, car l'on loue les
gens à la journée pour dormir, et ils gagnent cinq à six sous par
jour; mais ceux qui ronflent bien fort gagnent bien sept sous et
demi. Je racontai aux sénateurs comment on m'avait détroussé
dans la vallée; ils me dirent qu'à la vérité les gens qui sont au-
delà étaient méchants et brigands de nature. Je compris à cela
que, de même que nous avons des contrées en deçà et au-delà
des monts, ils en ont en deçà et au-delà des dents. Mais il fait
bien meilleur en deçà, l'air y est meilleur. […]

Finalement je voulus m'en retourner, et, passant par sa barbe,
je me jetai sur ses épaules, et de là je descendis à terre et tombai
devant lui. Quand il m'aperçut, il me demanda: «D'où viens-tu,
Alcofribas?» Je lui réponds: «De votre gorge, monsieur.

— Et depuis quand y es-tu? dit-il.

— Depuis, dis-je, que vous avez marché contre les Almyrodes.

— Il y a, dit-il, plus de six mois. Et de quoi vivais-tu? Que
buvais-tu?» Je réponds: «Seigneur, de même que vous, et sur les
plus friands morceaux qui passaient par votre gorge je prélevais
les droits de douane. […]»

— Oui, mais dit-il, où chiais-tu?

— Dans votre gorge, Messire, dis-je.

— Ha, ha, tu es un gentil compagnon, dit-il. […]

« Il y a ici un nouveau monde ? »

Lecture analytique du chapitre 32, pp. 232 à 237

Dans ce chapitre, Rabelais s'ingénie une fois de plus à brouiller les repères du récit : le narrateur se fait lui-même personnage tandis que la bouche disproportionnée de Pantagruel tient lieu de décor. Les frontières entre réel et irréel, sérieux et fantaisie, s'ouvrent et donnent à ce récit une dimension burlesque.

Comme l'on peut s'y attendre, la tonalité comique est de mise ! La parodie prend ici pour cible cette croyance, formulée notamment au XVIᵉ siècle dans les récits de voyage des explorateurs, en l'existence d'un paradis terrestre, d'un autre et d'un nouveau monde qui reste à découvrir.

Or, raconter et nous décrire un autre monde définit également le rôle d'un narrateur. Autrement dit, pour cette raison, ce dernier n'est lui-même pas à l'abri de la parodie. Si bien que parodiant un récit de voyage, Alcofribas Nasier ne ferait que jouer au narrateur, jetant furtivement sur sa narration quelques clins d'œil ironiques* et rendant son souci de vraisemblance bien trop visible et caricatural* pour être pris au sérieux.

La description et le mode de narration

Dans un récit, le fait d'entrecouper la narration de passages descriptifs permet de renseigner le lecteur sur les personnages ou les lieux que ces derniers occupent. Alors que la narration s'attache à raconter une histoire dans la durée, la description se rapporte à ce qui se situe dans l'espace. Pour cela, elle utilise des verbes de perception (relatifs aux couleurs, odeurs, mouvements…), un vocabulaire concret qu'elle peut enrichir de comparaisons*, de métaphores* en vue de rendre compte du moindre

* Cf. Lexique.

détail. Dans un récit au passé, l'imparfait de l'indicatif constitue le temps dominant de la description : il sert à présenter la toile de fond sur laquelle s'inscrivent les événements du récit.

Le point de vue*, ou focalisation, du narrateur détermine la façon dont il raconte et décrit les événements. Soit, si le narrateur laisse ignorer sa présence, le récit est relaté à la troisième personne du singulier. Soit, signalant sa présence, le narrateur s'adresse au lecteur à la première personne du singulier. Dans ce dernier cas, deux modes de narration se présentent : ou bien le narrateur raconte une histoire sans pour autant participer à celle-ci ; soit il devient lui-même un des personnages du récit, comme dans le cas de l'autobiographie ou des récits de voyage. Dans les romans, il arrive souvent qu'un des personnages prenne un rôle de narrateur. Dans les récits de voyage, les autobiographies, la situation s'inverse : c'est le narrateur qui devient un personnage du récit. La description procède alors à partir du point de vue subjectif du narrateur en révélant sa sensibilité, son humeur, ses goûts...

.... **Les marques de la description** ....

❶ Distinguez, dans le chapitre, passages narratifs et passages descriptifs. Comment s'articulent-ils dans le texte ?
❷ Quels sont les éléments caractéristiques du texte descriptif utilisés par le narrateur ?
❸ Par quels procédés le narrateur rend-il compte de son étonnement, puis de son émerveillement ?

.... **Le mode de narration** ....

❹ Qui est le narrateur ? Comment montre-t-il sa présence ?
❺ En quoi le type de verbes utilisés par le narrateur nous renseigne-t-il sur la position qu'occupe ce dernier par rapport à l'espace qu'il décrit ? Se contente-t-il de rester dans la position d'observateur ?
❻ Comment se manifeste la subjectivité du point de vue du narrateur ?

* *Cf.* Lexique.

Du grotesque au burlesque

Parmi les différents types de comique, le grotesque, poussant la parodie à l'excès et à la caricature*, vise à tourner au ridicule le sérieux d'un personnage ou d'une situation. Le difforme, la démesure, la disproportion (ici le gigantisme), l'hyperbolisation* sont autant de marques caractéristiques qui lui offrent l'occasion rêvée de jouer sur l'opposition des styles et des registres*, quitte à créer un décalage absurde* entre un événement et la façon dont il est raconté. Aussi, le plus élégant peut-il côtoyer le plus grivois, l'imagination la plus fantaisiste se mêler à la réalité la plus ordinaire, le plus spirituel (réflexion philosophique, invocations à Dieu) se rattacher au plus « bassement » corporel (nourriture, boisson, excréments, sexualité). Contrairement au fantastique caractérisé par l'intrusion d'éléments surnaturels au cœur d'un monde réel, le grotesque fait redoubler l'effet de surprise en introduisant de la trivialité sur fond de surnaturel ou d'irréel.

Le comique grotesque, tel qu'il apparaît chez Rabelais et dont on trouve trace dans les farces* médiévales, s'est progressivement institué, dans l'histoire de la littérature, comme un genre à part entière. Le genre burlesque consiste en effet à traiter personnages, situations, styles précieux* et genres (comme la tragédie et l'épopée) tenus pour élevés et nobles sur un ton comique. Ainsi, au XVIIe siècle, avec le *Virgile travesti* de Scarron, les aventures d'un personnage d'épopée* virent à la farce. À l'inverse du genre héroï-comique qui élève, dans un style également caricatural et décalé, une situation triviale au rang d'épopée, le burlesque renverse, au terme d'une parodie poussée à outrance, le sérieux, le solennel, le merveilleux, le sacré, en véritable bouffonnerie. Puisant sa matière au plus terre-à-terre, ne mâchant pas ses mots pour désigner ce que le quotidien a de plus ordinaire et grossier – et souvent de plus drôle ! –, le burlesque ose explorer ce qui, dans la réalité, fait fuir vers d'autres mondes ceux qui rêvent de grandes découvertes.

* *Cf.* Lexique.

.... **Le comique grotesque** ....

❼ Relevez, dans les passages descriptifs, les comparatifs, les superlatifs ainsi que les hyperboles*. Quelle est la fonction de tels procédés* ?

❽ Relevez dans l'extrait les différents registres de langue*. Quelle tonalité leur articulation donne-t-elle au texte ?

❾ Relevez dans ce texte les indices spatio-temporels. En quoi l'irruption d'un narrateur à échelle humaine dans le corps du géant rend-il compte de la démesure et de la disproportion de tels indices ?

❿ En quoi les comparaisons servant à décrire la bouche de Pantagruel sont-elles absurdes* ? Comment parviennent-elles à combiner des éléments réalistes et fantaisistes ?

⓫ Après avoir relevé le champ lexical* relatif au corps et à ses fonctions naturelles, vous déterminerez sa fonction au sein du récit.

⓬ De quelle façon ce texte met-il en valeur l'exploration du corps humain ? Cela répond-il, selon vous, à l'exigence de l'humanisme visant à mettre la connaissance de l'homme au cœur de ses préoccupations ?

.... **Les marques du genre burlesque** ....

⓭ Relevez les différentes invocations aux divinités. De quel genre littéraire relève traditionnellement ce type de procédés ?

⓮ Quel est l'effet de surprise créé par la présence et le discours du planteur de choux ? Pourquoi son point de vue relativise-t-il la distinction entre ancien et nouveau monde ?

⓯ Pourquoi les péripéties* du narrateur au cours de son voyage ont-elles un ton parodique ?

⓰ Le thème du voyage est-il, dans cet extrait, traité de façon paradoxale* ? En quoi ce traitement pourrait-il s'apparenter au genre burlesque ?

* *Cf.* Lexique.

Le jeu du narrateur

Dans une œuvre littéraire, auteur et lecteur savent bien l'un et l'autre qu'il ne s'agit que d'une fiction, même si le narrateur s'évertue à le faire oublier en créant l'illusion romanesque. Ni Rabelais ni ses lecteurs ne sont dupes quant à l'existence réelle des géants et l'effort du narrateur en vue de nous en persuader ne vise, au mieux, qu'à les rendre vraisemblables. Pour que le lecteur se prenne au jeu, le narrateur, tel un acteur de théâtre, doit jouer sans montrer qu'il joue, doit feindre de croire à la vérité de son récit tout en dissimulant sa feinte. Par conséquent, lorsqu'il décrit ce qu'il nous dit percevoir effectivement, ce qu'il est en train de vivre ou a vécu directement, le narrateur souligne son récit d'une intention de vraisemblance et donne à ses propos valeur de témoignage.

Toutefois, en face d'un texte parodique, le lecteur doit pouvoir comprendre, afin d'en rire, qu'il s'agit bien d'une parodie. Levant une partie de son masque, le narrateur doit à cette fin suggérer – et suggérer seulement – au lecteur de ne pas croire un fin mot de ce qu'il raconte, car son rôle est désormais moins de faire croire que de faire rire. Parodier un récit de voyage suppose de la part du narrateur qu'il parodie la narration qu'un explorateur ferait de ses exploits. Autrement dit, son jeu est double : il doit narrer à la façon d'un explorateur en laissant voir qu'il se moque de cette narration. Il doit feindre de persuader le lecteur de ses propos tout en suggérant à ce dernier qu'il ne fait que le feindre.

.... **L'illusion romanesque** ....

⑰ Pourquoi l'étonnement et l'apparente naïveté du narrateur tendent-ils, dans un premier temps, à persuader le lecteur de la vérité de son récit ?

⑱ Pourquoi le fait de rapporter une conversation sur le mode du discours direct* donne-t-il au récit l'apparence d'un témoignage ?

⑲ En quoi le point de vue* qu'occupe le narrateur tend-il à créer l'illusion romanesque ?

* *Cf.* Lexique.

.... **L'ironie* du narrateur** ....

㉑ Que révèle l'allégation de vérité* : « *Que Jupiter m'abatte de sa triple foudre si je mens* » (lignes 24-25) sur les intentions du narrateur ?

㉑ Selon quels procédés* le narrateur prend-il ses distances vis-à-vis de son propre étonnement et son propre émerveillement ? Quel est l'effet visé ?

㉒ Pourquoi pourrait-on dire qu'Alcofribas Nasier dans ce chapitre fait une parodie de tout narrateur en général ?

* *Cf.* Lexique.

Le thème dont traite ici Rabelais n'est pas nouveau et fait un lointain écho, dans la Bible, au séjour que passe le prophète Jonas dans le ventre d'une baleine. Au XVIᵉ siècle, le thème du voyage inspire en effet autant les explorateurs qui, à l'instar de Christophe Colomb, ne manquent pas de rapporter leurs découvertes, que les récits légendaires, les épopées* fantastiques. Nourrie de ses deux influences, la plume de Rabelais fait jouer, sur un ton comique, la quête de nouveaux mondes entre réalité et mythe, découverte et pure invention.

Toutefois, si les grandes découvertes permirent, dans un premier temps, au monde occidental de ne plus se regarder comme le nombril de l'univers, elles furent aussi l'occasion pour lui de se répandre aux quatre coins du globe, de satisfaire son désir impérieux, sinon impérialiste, de conquête, de colonisation, le plus souvent au prix de massacres, tels ceux qu'orchestrèrent les conquistadores. Rabelais met à jour l'illusion de croire en un autre et nouveau monde : l'ethnocentrisme* de l'explorateur fait que ce dernier ne découvre jamais que ce qu'il entend découvrir, sans jamais s'apercevoir de la relativité de son point de vue. Dans la même lignée, certains écrivains critiquent, sur un mode parodique ou satirique*, les « romans exotiques » qui, en situant leur intrigue en terre conquise et colonisée, invite le lecteur au dépaysement, à un changement de décor en se gardant bien de révéler l'envers de celui-ci.

Voltaire, *Histoire des voyages de Scarmentado*

De son vrai nom François-Marie Arouet, Voltaire (1694-1778), figure majeure du siècle des Lumières*, s'est essayé à tous les genres (pamphlet, roman, tragédie, conte philosophique*, dictionnaire…) avec pour mot d'ordre la défense des valeurs de tolérance et de liberté. Satiriques*, provocateurs,

* *Cf.* Lexique.

certains de ses écrits lui vaudront de goûter la paille du cachot! Dans le court récit intitulé Histoire des voyages de Scarmentado, *le narrateur, au terme d'un tour d'Europe où partout se répète le même spectacle d'injustice, arrive en Turquie, espérant y trouver enfin un monde de paix et de liberté.*

Les chrétiens grecs et les chrétiens latins étaient ennemis mortels dans Constantinople [...]. Le patriarche[1] grec m'accusa d'avoir soupé chez le patriarche latin, et je fus condamné en plein divan[2] à cent coups de latte sur la plante des pieds, rachetables de cinq cents sequins[3]. Le lendemain, le grand vizir[4] fut étranglé; le surlendemain son successeur, qui était pour le parti des Latins, et qui ne fut étranglé qu'un mois après, me condamna à la même amende, pour avoir soupé chez le patriarche grec. [...] Je pris à loyer une fort belle Circassienne[5], qui était la personne la plus tendre dans le tête-à-tête, et la plus dévote à la mosquée. Une nuit, dans les doux transports de son amour, elle s'écria en m'embrassant: «Alla, Illa, Alla»; ce sont les paroles sacramentales des Turcs: je crus que c'était celles de l'amour; je m'écriai aussi fort tendrement: «Alla, Illa, Alla. – Ah! me dit-elle, le Dieu miséricordieux soit loué! vous êtes Turc.» [...] Le matin l'imam[6] vint pour me circoncire; et, comme je fis quelque difficulté, le cadi[7] du quartier, homme loyal, me proposa de m'empaler: je sauvai mon prépuce et mon derrière avec mille sequins [...].

Je poussai jusqu'à la Chine [...]. Les Tartares[8] s'en étaient rendus maîtres, après avoir tout mis à feu et à sang. [...] On me fit passer chez Sa Majesté tartare pour un espion du pape. [...] Je lui répondis que le pape était un prêtre de soixante et dix ans; qu'il demeurait à quatre mille lieues de Sa Sacrée Majesté tartaro-chinoise; qu'il avait environ deux mille soldats qui montaient la garde avec un parasol; qu'il ne détrônait personne, et que Sa Majesté pouvait dormir en sûreté. [...]

Je pris le temps pour aller voir la cour du grand Aureng-Zeb[9] [...]: c'était l'homme le plus pieux de tout l'Indoustan[10]. Il est vrai qu'il avait égorgé un de ses frères et empoisonné son père. [...]

Il me restait de voir l'Afrique [...]. Mon vaisseau fut pris par des corsaires nègres[11]. Notre patron fit de grandes plaintes; il leur demanda pourquoi ils violaient ainsi les lois des nations. Le capitaine nègre lui répondit: «Vous avez le nez long, et nous l'avons plat; vos cheveux sont tout droits, et notre laine est frisée [...]. Vous nous achetez aux foires de la côte de Guinée, comme des bêtes de somme, pour nous faire travailler à je ne sais quel emploi aussi pénible que ridicule [...]; aussi quand nous vous rencontrons, et que nous sommes les plus forts, nous vous faisons esclaves [...].»

J'avais vu tout ce qu'il y a de beau, de bon et d'admirable sur la terre : je résolus de ne plus voir que mes pénates[12].

Voltaire, *Histoire des voyages de Scarmentado*, 1753-1754.

1. patriarche : chef d'une Église séparée de l'Église romaine et qui n'observe donc pas le rite latin. Dans l'Église romaine, titre accordé à certains évêques titulaires de sièges très importants. Ainsi, plus bas, soit l'expression de « patriarche latin » est ironique ; soit elle fait référence à cette seconde définition. **2. divan :** équivalent du conseil du roi. **3. sequins :** pièces de monnaie. **4. vizir :** ministre ou conseiller d'État. **5. Circassienne :** ou Tcherkesse. Peuple caucasien converti à l'islam sunnite et ayant, pour la plupart, émigré en Turquie. **6. imam :** chef de prière dans une mosquée. **7. cadi :** magistrat musulman qui remplit des fonctions civiles, judiciaires et religieuses. **8. Tartares :** désignant originairement une peuplade turque, ce nom fut donné par les Européens à toutes les populations turco-mongoles originaires d'Asie centrale. **9. Aureng-Zeb** (1658-1707) : empereur fanatique et tyrannique mongol qui, pour arriver au pouvoir, n'hésita pas à faire emprisonner son père et à faire exécuter non pas un, comme le dit Voltaire, mais trois de ses frères. Au-delà de cette imprécision historique, Voltaire cherche avant tout à rendre compte de la cruauté effective d'Aureng-Zeb. **10. Indoustan :** ancien nom persan donné au sub-continent indien. **11. nègres :** au XVIIIe siècle, ce terme n'a pas comme aujourd'hui de connotation péjorative. **12. ne plus voir que mes pénates :** rester chez moi, à mon domicile.

Cyrano de Bergerac, *L'Autre Monde ou Les États et Empires de la Lune et du Soleil*

Si son nom évoque surtout la pièce de théâtre éponyme* écrite par Edmond Rostand, n'oublions pas que Cyrano de Bergerac (1619-1655) a réellement existé ! À la suite d'une grave blessure qui mit un terme à sa carrière militaire, il commença son œuvre d'écrivain. L'Autre Monde ou les États et Empires de la Lune et du Soleil, *publié en 1657, est un récit qui, en mêlant burlesque – précisons que Rabelais est son auteur favori – et considérations philosophico-scientifiques, préfigure la forme du conte philosophique* tel que le pratiquera Voltaire. Nous voici donc perdus sur la Lune où le narrateur se prépare à découvrir un monde paradisiaque.*

Je restai bien surpris de me voir tout seul au milieu d'un pays que je ne connaissais point. J'avais beau promener mes yeux et les jeter par la campagne, aucune créature ne s'offrait pour les consoler. Enfin je résolus de marcher, jusqu'à ce que la Fortune[1] me fît rencontrer la compagnie de quelque bête ou de la mort.

Elle m'exauça, car au bout d'un demi-quart de lieue je rencontrai deux fort grands animaux, dont l'un s'arrêta devant moi, l'autre s'enfuit légèrement [...]. Quand je les pus discerner de près, je connus qu'ils avaient la taille, la figure et le visage comme nous. Cette aventure me fit souvenir de ce que jadis j'avais ouï conter à ma nourrice des sirènes, des faunes et des satyres[2]. De temps en temps ils élevaient des huées[3] si furieuses, causées sans doute par l'admiration[4] de me voir, que je croyais quasi être devenu monstre.

* *Cf.* Lexique.

Une de ces bêtes-hommes m'ayant saisi par le col, de même que font les loups quand ils enlèvent une brebis, me jeta sur son dos et me mena dans leur ville. Je fus bien étonné, lorsque je reconnus en effet que c'étaient des hommes, de n'en rencontrer pas un qui ne marchât à quatre pattes. Quand ce peuple me vit passer, me voyant si petit (car la plupart d'entre eux ont douze coudées de longueur[5]), et mon corps soutenu sur deux pieds seulement, ils ne purent croire que je fusse un homme, car ils tenaient, eux autres, que la nature ayant donné aux hommes comme aux bêtes deux jambes et deux bras, ils s'en devaient servir comme eux. Et en effet, rêvant[6] depuis sur ce sujet, j'ai songé que cette situation de corps n'était point trop extravagante, quand je me suis souvenu que nos enfants […] marchent à quatre pieds […].

Ils disaient donc […] qu'infailliblement j'étais la femelle du petit animal de la reine. […] Un certain bourgeois qui gardait les bêtes rares supplia les échevins[7] de me prêter à lui, en attendant que la reine m'envoyât quérir pour vivre avec son mâle.

On n'en fit aucune difficulté. Ce bateleur[8] me porta en son logis, il m'instruisit à faire le godenot[9], à passer des culbutes, à figurer des grimaces […]. Enfin […], un de ceux qui me regardaient, après m'avoir considéré fort attentivement, me demanda en grec qui j'étais. Je fus bien étonné d'entendre là parler comme en notre monde.

Cyrano de Bergerac, *L'Autre Monde ou Les États et Empires de la Lune et du Soleil* (orthographe modernisée), 1657.

1. Fortune : puissance personnifiée qui est censée distribuer le bonheur et le malheur sans règle apparente. **2. sirènes, faunes et satyres :** figures légendaires mi-humaines, mi-animales. **3. huées :** cris de réprobation poussés par une assemblée de personnes. **4. admiration :** étonnement. **5. douze coudées de longueur :** c'est-à-dire 5,40 mètres de longueur. **6. rêvant :** réfléchissant. **7. échevins :** magistrats municipaux. **8. bateleur :** personne qui dans les foires et les places publiques fait des tours d'adresse, d'acrobaties et de force. **9. faire le godenot :** faire le pitre.

Louis-Ferdinand Céline, *Voyage au bout de la nuit*

Louis-Ferdinand Céline (1894-1961), de son vrai nom Louis-Ferdinand Destouches, conjugua les métiers d'écrivain et de médecin, tout comme Rabelais qu'il tenait pour le père de la littérature française en prose. Le Voyage au bout de la nuit, publié en 1932, trace, dans un style défiant les règles traditionnelles, le récit d'une épopée* moderne et le constat d'une époque : de la guerre de tranchées à la misère sociale des banlieues en passant par la colonisation de l'Afrique, comme le montre l'extrait suivant, le voyage du personnage Ferdinand Bardamu met à jour les infernales et contagieuses absurdités de notre civilisation…

* *Cf.* Lexique.

Tout le monde devenait, ça se comprend bien, à force d'attendre que le thermomètre baisse, de plus en plus vache. [...] Ainsi, les rares énergies qui échappaient au paludisme[1], à la soif, au soleil, se consumaient en haines mordantes, si insistantes, que beaucoup de colons[2] finissaient par en crever sur place, empoisonnés d'eux-mêmes, comme des scorpions.

[...] Il est difficile de regarder en conscience les gens et les choses des tropiques à cause des couleurs qui en émanent. Elles sont en ébullition les couleurs et les choses. Une petite boîte de sardines ouverte en plein midi sur la chaussée projette tant de reflets divers qu'elle prend pour les yeux l'importance d'un accident. Faut faire attention. Il n'y a pas là-bas que les hommes d'hystériques, les choses aussi s'y mettent. La vie ne devient guère tolérable qu'à la tombée de la nuit, mais encore l'obscurité est-elle accaparée presque immédiatement par les moustiques en essaims. Pas un, deux ou cent, mais par billions[3]. S'en tirer dans ces conditions-là devient une œuvre authentique de préservation. [...]

Quand la case où l'on se retire, et qui a l'air presque propice est enfin devenue silencieuse, les termites[4] viennent entreprendre le bâtiment, occupés qu'ils sont éternellement les immondes, à vous bouffer les montants de la cabane. [...]

La ville de Fort-Giono où j'avais échoué apparaissait ainsi, précaire capitale de la Bragamance, entre mer et forêt, mais garnie, ornée cependant de tout ce qu'il faut de banques, de bordels[5], de cafés, de terrasses, et même d'un bureau de recrutement, pour en faire une petite métropole [...].

À entendre certains habitués, notre colonisation devenait de plus en plus pénible à cause de la glace. L'introduction de la glace aux colonies, c'est un fait, avait été le signal de la dévirilisation du colonisateur. Désormais soudé à son apéritif glacé par l'habitude, il devait renoncer, le colonisateur, à dominer le climat par son seul stoïcisme[6]. [...] Tout est là. Voilà comment on perd ses colonies.

J'en appris encore bien d'autres à l'abri des palmiers qui prospéraient par contraste d'une sève provocante le long de ces rues aux demeures fragiles. Seule cette crudité de verdure inouïe empêchait l'endroit de ressembler tout à fait à la Garenne-Bezons[7].

Louis-Ferdinand Céline, Voyage au bout de la nuit, 1932, Éditions Gallimard.

1. paludisme : maladie des régions chaudes et humides provoquant de violents accès de fièvre. **2. colons :** habitants de la colonie, originaires de la métropole. **3. billions :** soit un million de millions. **4. termites :** insectes qui rongent les pièces de bois par l'intérieur. **5. bordels :** maisons de prostitution. **6. stoïcisme :** capacité à supporter la douleur, les privations avec une apparente indifférence. **7. la Garenne-Bezons :** petite ville de la banlieue parisienne.

Document 1 : *« Les pèlerins mangés en salade »*, gravure de G. Doré.

Document 2 : *Micromégas arrivant sur la Terre,* gravure de Bouillon.

Corpus

Texte A : Chapitre 32 de *Pantagruel* de François Rabelais (pp. 232 à 237).

Texte B : Extrait de l'*Histoire des voyages de Scarmentado* de Voltaire (pp. 244-246).

Texte C : Extrait de *L'Autre Monde ou Les États et Empires de la Lune et du Soleil* de Cyrano de Bergerac (pp. 246-247).

Texte D : Extrait du *Voyage au bout de la nuit* de Louis-Ferdinand Céline (pp. 247-248).

Document 1 : « *Les pèlerins mangés en salade* », gravure de Gustave Doré, 1873 (p. 249).

Document 2 : *Micromégas arrivant sur la Terre,* gravure de Bouillon pour *Micromégas,* 1778 (p. 250).

Examen des textes

❶ Selon quels procédés* se mêlent, dans les documents 1 et 2, réalité et imaginaire ?

❷ Dans la narration, quels éléments donnent au texte B une tonalité comique ?

❸ Dégagez dans l'extrait B la visée philosophique du texte.

❹ Dans le texte C, après avoir déterminé les marques de la description et le mode de narration utilisés, vous analyserez le point de vue* du narrateur.

❺ Quels éléments nous donnent à penser que, dans le texte C, les intentions de l'auteur sont davantage satiriques* qu'utopiques ?

❻ Analysez la fonction des champs lexicaux* et des différents registres de langue* présents dans le texte D.

❼ Comment, dans le texte D, perçoit-on l'ironie* et le désenchantement du narrateur ?

Travaux d'écriture

Question préliminaire

En quoi et selon quels procédés les textes et les documents du corpus tendent-ils à relativiser la nouveauté du monde qu'ils décrivent ?

Commentaire

Vous ferez le commentaire du texte D.

Dissertation

En guise d'avertissement aux lecteurs, Louis-Ferdinand Céline déclare au début du *Voyage au bout de la nuit* : « *Notre voyage à nous est entièrement imaginaire. Voilà sa force.* »
À l'aide du corpus et de vos lectures personnelles, vous discuterez le point de vue de Céline en vous interrogeant sur les rapports entre réalité et fiction littéraire.

Sujet d'invention

En vous mettant dans la peau d'un explorateur ayant découvert un monde inconnu et en vous appuyant sur une description de ce dernier, vous rédigerez le récit de cette découverte en imaginant les rencontres, les aventures et les péripéties que vous pourriez y vivre.

La conclusion du present livre, et l'excuse de l'auteur

Or Messieurs vous avez ouy un commencement de l'Histoire horrificque de mon maistre et seigneur Pantagruel. [...]

Bonsoir, Messieurs. *Pardonnante my*[1], et ne pensez tant à mes faultes que ne pensiez bien es vostres. Si vous me dictes : « Maistre, il sembleroit que ne feussiez grandement saige de nous escrire ces balivernes et plaisantes mocquettes », je vous responds, que vous ne l'estes gueres plus de vous amuser à les lire. Toutesfoys sy pour passe temps joyeulx les lisez, comme passant temps les escripvoys, vous et moy sommes plus dignes de pardon qu'un grand tas de sarrabovittes[2], cagotz[3], escargotz, hypocrites, caffars, frappars, botineurs[4], et aultres telles sectes de gens, qui se sont desguisez comme masques pour tromper le monde.

[...] Et si desirez estre bons Pantagruelistes (c'est à dire vivre en paix, joye, santé, faisans tousjours grande chere) ne vous fiez jamais en gens qui regardent par un pertuys.

Fin des cronicques de Pantagruel, roy des Dipsodes,
restituez à leur naturel, avec ses faictz
et prouesses espoventables composez
par feu M. Alcofribas,
abstracteur de quinte
essence[5].

notes

1. *Pardonnante my* : formule comique qui mélange l'italien et l'espagnol.
2. sarrabovites : les Sarabaïtes désignent les moines débauchés d'Égypte.
3. cagotz : terme emprunté à l'occitan béarnais signifiant « lépreux blanc » et qui a

peut-être son origine dans le verbe latin *cacare* (chier). Ce terme s'applique à ceux dont la foi est aussi prononcée que la sincérité de celle-ci est douteuse.
4. botineurs : ceux qui portent les bottes, à savoir les moines.

Messires, vous avez donc entendu le commencement de l'histoire horrifique de mon maître et seigneur Pantagruel. [...]

Bonsoir, Messires. *Pardonnez-moi*, et ne pensez pas tant à mes fautes qu'aux vôtres, et bien. Si vous me dites : « Maître, il semblerait que vous n'ayez pas été très sage de nous écrire ces balivernes et ces plaisantes moqueries », je vous réponds que vous ne l'êtes guère plus de perdre votre temps à la lire.

Toutefois, si vous les lisez comme un joyeux passe-temps, de même que je les écrivais, pour me passer le temps, vous et moi sommes plus dignes de pardon qu'un grand tas de religieux faux jetons, de cagots, d'escargots, d'hypocrites, de cafards, de paillards, de porte-bottes et d'autres telles sortes de gens qui se sont déguisés et masqués pour tromper le monde.

[...] Et si désirez être de bons Pantagruélistes (c'est-à-dire vivre en paix, joie, santé, en faisant toujours grande chère) ne vous fiez jamais aux gens qui regardent par un trou.

Fin des chroniques de Pantagruel, roi des Dipsodes,
restituées selon la vérité, avec ses faits
et ses prouesses épouvantables composées
par feu M. Alcobrifas,
abstracteur de quinte
essence.

---

notes

5. abstracteur de quinte essence : abstraire la quintessence, en alchimie, signifie extraire la partie la plus subtile d'un corps par distillation, peut-être cette « substantifique moelle » dont Rabelais nous révélait l'existence dans le prologue de *Gargantua*.

Gargantua et Pantagruel : bilan de première lecture

Gargantua

❶ Par qui et comment le nom de Gargantua est-il trouvé ?

❷ À quelle occasion le père de Gargantua s'émerveille-t-il de l'intelligence de son fils ?

❸ Quel sort Gargantua réserve-t-il au peuple parisien quand il arrive dans la capitale ? Quel est le rôle de Janotus de Bragmardo ?

❹ Gargantua, durant son adolescence, vous semble-t-il incarner l'élève modèle ?

❺ Qui est Ponocratès ? En quoi change-t-il le mode de vie de Gargantua ?

❻ Pourquoi le frère Jean des Entommeures ressemble-t-il à tout sauf à un moine ? De quelle étrange façon applique-t-il la règle du Christ selon laquelle il faut aimer son ennemi ?

❼ Comment se manifeste la folie guerrière de Picrochole ?

❽ Où ont lieu les guerres picrocholines ?

❾ En quoi l'attitude de Grandgousier est-elle contradictoire avec celle de Picrochole ?

❿ Comment Gargantua remercie-t-il frère Jean de ses exploits guerriers ?

⓫ Qui sont les Thélémites ? Quelle est leur devise ?

Pantagruel

❶ Quelle est l'origine généalogique de Pantagruel ?

❷ En quoi l'accouchement de Badebec sort-il de l'ordinaire ?

❸ À quelle occasion Gargantua pleure-t-il comme une vache et rit-il comme un veau ?

❹ Pourquoi, selon Pantagruel, l'écolier limousin mérite-t-il qu'on l'écorche tout vif ?

❺ À quelles fins Gargantua écrit-il une lettre à son fils ?

❻ Qui est Panurge ? Quels sont ses talents ?

❼ À quelle occasion et comment Panurge ridiculise-t-il un savant anglais ?

❽ Qui sont les Dipsodes ? Pour conquérir le royaume d'Utopie, avec qui font-ils alliance ?

❾ Qui est Loup Garou ? Comment Pantagruel parvient-il à vaincre son armée ?

❿ Qui est Alcofribas Nasier ? Quels rôles joue-t-il dans le récit ?

⓫ À quelle occasion le narrateur fait-il la rencontre d'un planteur de choux ?

Pantagruel étudiant, par Derain, 1943.

Gargantua et Pantagruel, deux œuvres au siècle de la Renaissance

Structure de l'œuvre

Le schéma narratif* que suivent le *Pantagruel* et le *Gargantua* s'inspirent tous deux du schéma classique des épopées* qui se compose de quatre étapes : la naissance et l'enfance du héros, son éducation physique et intellectuelle, ses exploits guerriers et, enfin, un dénouement heureux dans lequel sont célébrés la fin des batailles et le courage du héros.

Un tel schéma correspond approximativement aux différentes séquences qui, de façon générale, structurent un conte :
– une **situation initiale** : dans le *Pantagruel* et le *Gargantua*, elle correspond à la présentation de l'enfance du héros ;
– un **élément déclencheur** qui provoque l'action : dans le *Gargantua*, cet élément est une querelle entre bergers et marchands de galettes ; dans le *Pantagruel*, c'est l'invasion de l'Utopie par les Dipsodes qui fait suite à la mort de Gargantua ;
– une **action** qui comporte des **péripéties*** : elle correspond ici à la guerre et aux exploits accomplis par les combattants ;
– la **résolution** qui permet de retrouver un nouvel équilibre : ainsi, la victoire sur l'ennemi et la paix retrouvée ;
– la **situation finale** : les deux récits de Rabelais finissent par une utopie (Thélème) et par la découverte d'un nouveau monde (la bouche de Pantagruel).

* *Cf.* Lexique.

	Gargantua	*Pantagruel*
Nativité et enfance	Ch. 7 : explication du nom de Gargantua par l'appétit prodigieux du nourrisson. Ch. 11 et 13 : adolescence de Gargantua.	Ch. 1 et 2 : origine et enfance de Pantagruel. Ch. 3 : le deuil de Gargantua. Ch. 4 : exploits prodigieux du nourrisson.
Éducation	Ch. 21 : éducation de Gargantua par les sophistes. Ch. 23 : programme d'éducation imposé par Ponocratès.	Ch. 6 : rencontre avec un écorcheur de latin. Ch. 8 : lettre de Gargantua et proposition d'un programme d'éducation.
Exploits guerriers et triomphes	Ch. 27 à 50 : les guerres picrocholines.	Ch. 29 : la guerre contre Loup Garou.
Épilogue : utopie et autre monde	Ch. 52 et 57 : l'abbaye de Thélème.	Ch. 32 : le voyage du narrateur dans la bouche de Pantagruel.

Toutefois, même si, dans leurs grandes lignes, le *Gargantua* et le *Pantagruel* respectent le schéma classique de l'épopée*, ces récits ne le font pas rigoureusement. Certains chapitres, en effet, occupent une place isolée et s'immiscent dans le récit sans raison apparente. Ainsi, dans le *Pantagruel*, les chapitres 15, 16 et 19 consacrés au portrait du personnage Panurge semblent occuper une position marginale. De même, dans le *Gargantua*, les épisodes relatifs au vol des cloches de Notre-Dame (ch. 19), à la plaidoirie de Janotus ou aux pèlerins mangés en salade (ch. 38), donnent au lecteur l'impression d'une digression, souvent comique et grotesque, développant une intrigue secondaire et parallèle à celle qui structure la totalité du récit.

* *Cf.* Lexique.

Le schéma actantiel

Le schéma actantiel définit l'organisation des personnages d'après la fonction qu'ils occupent dans l'intrigue d'un récit. Le **héros**, généralement présenté dans la situation initiale, est le personnage central du récit. Les **adjuvants** désignent ses alliés et ceux qui favorisent la réalisation de ses projets, au contraire des **opposants** qui sont ses adversaires. Ainsi, traditionnellement, le schéma actantiel permet de déterminer, selon la catégorie à laquelle ils appartiennent (adjuvant ou opposant), le rôle des personnages par rapport au héros. Or, dans les deux récits de Rabelais, certains chapitres, laissant provisoirement entre parenthèses l'intrigue du récit et la position centrale du héros, sont uniquement consacrés à dresser le portrait ou à décrire les aventures de personnages autres que ce dernier. Ils ont alors ceci de particulier qu'ils mettent sur le devant de la scène et en position de héros certains adjuvants, voire le narrateur lui-même.

	Adjuvants	Opposants	Personnages (autres que le héros) mis au centre du récit
Gargantua	Ch. 13 : **Grandgousier**, qui admire Gargantua. Ch. 23 : **Ponocratès** et **maître Théodore**, qui se chargent d'éduquer Gargantua. Ch. 31 : **Gallet**, qui tente de convaincre Picrochole de cesser les hostilités. Ch. 46 : frère **Jean des Entommeures**, qui s'est battu contre l'armée de Picrochole.	Ch. 19 : **maître Janotus**, qui tente de convaincre Pantagruel de rendre les cloches. Ch. 21 : les **précepteurs sophistes** dont Gargantua subit la mauvaise éducation. Ch. 31 et 33 : **Picrochole**, en guerre contre Gargantua. Ch. 33 : **Merdaille**, **Échéphron**, qui conseillent à Picrochole de poursuivre la guerre.	Ch. 27 : description de **Jean des Entommeures**. Ch. 29 : lettre de **Grandgousier** à son fils. Ch. 46 : discours de **Grandgousier** à Touquedillon.
Pantagruel	Ch. 29 : **Carpalim**, **Eusthénès**, **Epistémon** et **Panurge**, qui aident Pantagruel à vaincre l'armée de Loup Garou.	Ch. 6 : **l'écolier limousin**, qui écorche le latin. Ch. 29 : le roi **Anarche** et son peuple (les **Dipsodes**), aidés des **Géants** et leur chef **Loup Garou**, qui affrontent Pantagruel.	Ch. 3 : deuil de **Gargantua**. Ch. 8 : lettre de **Gargantua** à son fils. Ch. 15 et 16 : description de **Panurge**. Ch. 19 : **Panurge**, qui ridiculise le savant Thaumaste. Ch. 32 : aventures d'**Alcofribas Nasier** dans la bouche de Pantagruel. Ch. 34 : conclusion faite par **Alcofribas Nasier**.

Genèse et circonstances de publication de Pantagruel et Gargantua

Pantagruel, genèse et circonstances de publication

À retenir

Pantagruel est publié en 1532, la même année qu'un ouvrage à destination populaire contant les aventures d'un géant nommé Gargantua.

Sans doute inspiré par le succès éditorial des ouvrages populaires et particulièrement des *Grandes et Inestimables Chroniques du grand et énorme Gargantua* éditées en 1532, Rabelais écrit la même année le *Pantagruel*. Publié à Lyon par le libraire Claude Nourry dont les choix éditoriaux privilégient les ouvrages à grande diffusion, le *Pantagruel* rencontre, à en juger par ses nombreuses rééditions, la faveur du grand public.

De 1532, date de l'édition princeps*, à l'édition de 1534, publiée par François Juste, puis à celle, définitive, de 1542, qui contient l'intégralité des corrections et des ajouts effectués par Rabelais, celui-ci n'a cessé de remanier le style et la composition du *Pantagruel*. À regarder le manuscrit original de l'édition princeps, recouvert de ratures, de repentirs*, d'additions, il semblerait que le *Pantagruel* ait été composé à la hâte, au jour le jour, improvisé au gré de la fantaisie créatrice de l'auteur. Les inégalités de longueur et d'importance qui règnent entre les chapitres, les digressions sur le personnage de Panurge, l'accumulation des péripéties* toutes plus burlesques les unes que les autres, des situations absurdes* à n'en plus finir, peuvent donner de la composition du *Pantagruel*

* Cf. Lexique.

une apparence de désordre, de premier jet, de fourre-tout comique et d'un auteur qui ne maîtrise pas son sujet. Toutefois, la raison des remaniements qu'opère Rabelais est davantage à chercher du côté du contexte historique. S'il est vrai que, dès 1533, le *Pantagruel* fut censuré par la Sorbonne pour son obscénité, il n'empêche qu'en 1532 Rabelais pouvait sans crainte, soutenu qu'il était par François Ier, se permettre de ridiculiser expressément la Sorbonne et ses théologiens. Mais, à la suite de « l'affaire des Placards » et de la répression croissante orchestrée par le roi envers les « hérétiques », la censure s'organise progressivement et, sous la menace, Rabelais, contraint de revoir sa copie, décide dans l'édition de 1542 de ne plus nommer aussi explicitement ses cibles.

Gargantua, genèse et circonstances de publication

Si le succès populaire du *Pantagruel* fut certain, sa réception auprès du public savant et lettré fut en revanche des plus réservées. Or, ne l'oublions pas, c'est avant tout ce public que vise, en dépit des apparences, le savant humaniste qu'est Rabelais. Conscient de cet échec, ce dernier entreprend alors de publier *Gargantua* en 1534 ou 1535, avec l'intention, manifeste dès le prologue, de séduire et de conquérir un tel public.

Comme le *Pantagruel*, le *Gargantua* est l'objet de plusieurs rééditions. L'édition définitive de 1542 verra, pour les mêmes raisons, Rabelais substituer à tout terme péjoratif faisant allusion aux théologiens de la Sorbonne celui de « sophiste ». Ce qui d'ailleurs n'empêchera pas la

À retenir

Gargantua est publié en 1535. À la suite de la mauvaise réception du *Pantagruel* par le public savant, Rabelais affiche alors son désir de le reconquérir.

Sorbonne de condamner en 1543 le *Gargantua*. L'accueil qui sera fait à cet ouvrage dans les milieux savants selon lesquels rire et sérieux ne font pas bon ménage ne s'avérera finalement pas plus chaleureux qu'il ne l'était auparavant. Comme le résume le commentateur Gérard Défaux, Rabelais semble décidément «*trop savant pour le populaire, et trop populaire pour le savant*»!

Tant et si bien que, à l'instar de l'écrivain Louis-Ferdinand Céline, nous serions tentés de penser de Rabelais qu'«il a raté son coup»! Durant les siècles suivants, il semble d'ailleurs que les écrivains aient davantage retenu la réputation de Rabelais qui passait pour être un bon vivant, voire un alcoolique notoire, que ses œuvres. Il faudra attendre le XIXe siècle, sous l'impulsion des romantiques tels que Chateaubriand ou Victor Hugo, pour que l'on reconnaisse et redécouvre l'inouïe singularité du style rabelaisien.

À retenir

Cibles de la censure, méprisés par la majorité des savants de son époque, *Pantagruel* et *Gargantua* ne sont manifestement pas parvenus à séduire les lecteurs que Rabelais attendait.

Gargantua à Thélème, Gravure de Gustave Doré. ▶
Le lecteur idéal dont Rabelais dresse le portrait dans le prologue du *Gargantua* serait une utopie, à l'image de celle qu'offre l'abbaye de Thélème.

Gargantua et Pantagruel : deux œuvres inclassables

Un genre atypique

Les sources d'inspiration de Rabelais

La multiplicité des sources d'inspiration de Rabelais et la façon dont il les traite expliquent en partie la raison pour laquelle, outre le fait qu'une telle notion n'existe pas au XVIe siècle, il est aujourd'hui difficile de déterminer le « genre littéraire » auquel le *Gargantua* et le *Pantagruel* s'identifient.

• La littérature comique du Moyen Âge

La littérature comique dont s'inspire Rabelais s'est développée, dès le Moyen Âge, sous la forme de courts récits. Par exemple, les petites pièces de théâtre qu'on appelle les **farces*** – *La Farce de maître Pathelin* en est le plus fameux exemple – mettent en scène les conflits ordinaires de personnages stéréotypes (un mari trompé, un client que l'on roule dans la farine, etc.) tels qu'on les retrouve, aujourd'hui, dans le comique vaudeville. Les **soties**, quant à elles, sont des **farces** à fort caractère satirique* où les acteurs, vêtus de leur costume de bouffon, jouent des personnages tout droit sortis d'un peuple imaginaire et sot. Jouée sur les places publiques, à l'occasion des fêtes de rue (foires, carnavals), cette littérature fait partie de la culture populaire de l'époque. Plus les personnages et les péripéties* qui y sont représentés sont ordinaires et grotesques, plus se révèle une intention comique, que celle-ci se fasse sur un registre parodique ou satirique.

* *Cf.* Lexique.

• La littérature populaire du XVIᵉ siècle

Les **romans de chevalerie** issus de la littérature médiévale – tels que *Lancelot, Perceval, Tristan* –, et tout ce qui est lié aux **légendes de la Table Ronde** restent, au XVIᵉ siècle, très présents dans la mémoire collective. Rabelais emprunte d'ailleurs à ces épopées*, mais sous forme parodique, le schéma narratif* de *Gargantua* et de *Pantagruel*. Toutefois, Rabelais est davantage influencé par la façon dont la littérature populaire de son époque réutilise les romans médiévaux. Au XVIᵉ siècle, les **légendes merveilleuses**, les **contes de géants** – dans lesquels figure déjà le personnage de Gargantua – et les **chroniques** sont lus et appréciés par un large public. D'ailleurs, Rabelais reconnaît lui-même sa dette envers les *Grandes et Inestimables Chroniques de l'énorme géant Gargantua* dans lesquelles l'imagerie chevaleresque est traitée de façon burlesque.

• La culture populaire

Il est une autre forme de culture que celle qui s'écrit. La culture populaire ne s'enseigne pas à l'université mais se joue dans la rue. Le **carnaval**, au Moyen Âge, en est une des manifestations les plus éloquentes. En effet, il donne à chacun l'occasion et le droit de se prendre pour un autre, au pauvre de se déguiser en riche, au marchand de se travestir en poète, au loup de prendre le masque de l'agneau ! Le carnaval est par définition burlesque : il transgresse et renverse, en les mimant, les interdits religieux et les hiérarchies sociales. Le banquet, le festin relèvent également de cette culture populaire : sous l'effet de la boisson, les langues fourchent et se délient ; fusant aux quatre coins de la table, les jurons, les blasphèmes et les calembours descendent progressivement au-dessous de la ceinture, laissant provisoirement de côté les règles

À retenir

Rabelais s'inspire de la littérature populaire du XVIᵉ siècle, elle-même nourrie des romans et des chansons de geste* médiévaux.

* *Cf.* Lexique.

de bienséance et de convenance. De telles festivités donnent aux récits de Rabelais leur élément grotesque et joyeux : le bien-vivre et les allusions permanentes à la bouteille, à la bonne chère, aux excréments, aux organes sexuels sont un des traits significatifs du rire populaire dont Rabelais, tel un marchand de foire (voir le prologue de *Gargantua*), nous vante et nous prescrit les vertus thérapeutiques.

Entre le conte et la nouvelle

À retenir

La culture populaire telle qu'elle se manifeste dans le carnaval est, comme l'a montré le critique Mikhaïl Bachtine, une des principales sources d'inspiration de Rabelais.

Dès le XVe siècle, sous l'influence de Boccace, le genre de **la nouvelle** gagne ses lettres de noblesse et continue, le siècle suivant, d'être couramment pratiqué. La **nouvelle**, genre narratif en prose, se distingue à la fois du **roman**, en raison de sa brièveté, et du **conte** car ses procédés* traduisent chez l'auteur une intention réaliste d'ailleurs telle qu'il n'hésite pas, même au comble de l'invraisemblance, à proclamer la véracité des faits qu'il rapporte. Au XVIe siècle, la nouvelle et le conte peuvent alors apparaître comme deux genres opposés : en effet, le conte, quel que soit son registre – fantastique, merveilleux, comique, épique* – reste de plain-pied dans la fiction, l'imaginaire, et vise avant tout à divertir le lecteur.

Un **conte** possède les mêmes caractéristiques qu'un **roman** (un narrateur fait en prose le récit d'une histoire fictive) à la différence près que le conte contient et fait jouer des éléments d'invraisemblance. Or, dans le *Gargantua* et le *Pantagruel*, quoique ce ne soient pas les invraisemblances qui manquent, Rabelais a recours à de nombreux procédés réalistes, comme l'illustre l'ancrage des éléments les plus imaginaires dans un lieu existant (ainsi, la guerre picrocholine se situe dans la région natale

* *Cf.* Lexique.

de Rabelais), dans une réalité sociale (Rabelais nous décrit tour à tour la vie d'un étudiant, d'un vagabond, d'un planteur de choux, d'un prisonnier de guerre, etc.) et dans une époque (la lettre de Gargantua à son fils s'inscrit par exemple dans le contexte de la Renaissance; le thème de la guerre fait de plus directement allusion au conflit opposant François Ier et Charles Quint).

Par conséquent, Rabelais lie imaginaire et réalité de façon à ce qu'ils s'enrichissent l'un et l'autre : le gigantisme des personnages permet, pareil à l'effet d'une loupe, de grossir et de caricaturer la réalité ; en retour, les éléments réalistes chargent les éléments imaginaires d'une dimension critique (bien qu'imaginaire, le personnage de Picrochole permet de dénoncer la folie guerrière de Charles Quint).

Ainsi, *Pantagruel* et *Gargantua* empruntent au genre du **conte** le thème gigantal et la fantaisie créatrice et à **la nouvelle** l'intention réaliste. Ils préfigurent en ce sens ce qui, le siècle suivant, formera le **genre burlesque** (*cf.* p. 240, troisième questionnaire de *Pantagruel* : « Du grotesque au burlesque »). Aussi, pour les distinguer du **conte** et de la **nouvelle**, convient-il, faute de mieux, de qualifier *Gargantua* et *Pantagruel* de « romans ».

Registre de la parodie et parodie des registres

La **parodie** consiste, rappelons-le, à se moquer à des fins satiriques* ou à imiter à des fins comiques une institution, une personne, aussi bien qu'un genre ou une tonalité littéraire. Aussi, la parodie (*cf.* p. 169, premier questionnaire

À retenir

Le genre : la nouvelle et le conte sont les deux genres majeurs pratiqués au XVIe siècle. Conjuguant ces deux genres, *Pantagruel* et *Gargantua* peuvent alors être qualifiés de « roman ».

* *Cf.* Lexique.

de Pantagruel : « La parodie : une critique masquée ») peut-elle revêtir toutes les apparences et se déployer sur tous les tons possibles. D'ailleurs, même lorsqu'elle vise une institution (la Sorbonne par exemple) ou une personne, la **parodie** s'attache avant tout à reproduire le type de discours que celles-ci sont censées adopter, comme l'illustre, par exemple, la **parodie d'argumentation** que représente la prestation de Janotus de Bragmardo.

Par conséquent, il ne faut pas s'étonner de retrouver sous la plume de Rabelais les procédés* qui caractérisent traditionnellement les **registres épiques***, **pathétiques*** ou **lyriques***.

La **dimension comique** qui doit pourtant en ressortir vaut, pour le lecteur, comme le signal d'un décalage, d'une prise de distance entre l'intention comique de l'auteur et la façon dont il la met en œuvre. La parodie s'illustre dans l'art de la déviation, de la diversion, du détournement et, lorsqu'elle est **burlesque**, du retournement. C'est dans ce décalage, ce jeu que se déploie la **portée critique** de la parodie.

En se moquant du discours qu'elle imite, elle permet de relativiser les points de vue et les registres de langue*, de chose et de valeurs entre eux : il en est ainsi du populaire et du savant, du comique et du sérieux, du grotesque et de l'héroïque, de l'homme et du géant.

Plus que dans tout autre registre, l'espace que la **parodie** réserve au jeu verbal est sans limite. D'ailleurs, en signant son œuvre sous l'anagramme* d'Alcofribas Nasier, Rabelais masque son nom et sa présence sous un jeu de langage.

À retenir

La tonalité dominante du *Gargantua* et du *Pantagruel* est comique. La parodie, omniprésente dans ces deux œuvres, peut néanmoins revêtir l'apparence de tous les genres et de tous les registres pour faire rire le lecteur.

---

* *Cf.* Lexique.

La langue de Rabelais

Si l'on s'en tenait au sens littéral* du *Gargantua* et du *Pantagruel*, il serait impossible de comprendre pourquoi ce qui a tout l'air d'être une gigantesque farce, où les éléments grossiers s'ajoutant aux plus obscènes se déchaînent en cascade, où rien n'est plus sacré et divin que le vin, est élevé au rang de chef-d'œuvre incontournable de la littérature classique. Qu'y a-t-il en effet de « chef-d'œuvre » dans l'épisode du « torche-cul » ? Qu'y a-t-il de classique chez un auteur qui passe le plus clair de sa plume à déjouer la distinction des genres et des registres ? Comment prendre au sérieux un auteur qui fait mine de se moquer de tout ?

La réponse est sans doute à trouver du côté du style. En effet, si les thèmes et les schémas narratifs* qu'utilise Rabelais ne sont pas nouveaux, le style dans lequel ces derniers se déploient est en revanche unique. Car, dans une parodie, il ne suffit pas de savoir imiter à la perfection un style, auquel cas la parodie ne serait qu'un simple pastiche*. Ainsi, il ne suffit pas de savoir imiter le style de Cicéron pour parodier la tournure oratoire* et rhétorique* d'un discours (celui de Gallet à Picrochole par exemple, p. 94) ou d'une lettre (voir la lettre de Gargantua à son fils, p. 188).

Pour donner à son imitation sa tonalité comique, Rabelais n'hésite pas à mélanger les registres*, à enchaîner les néologismes*, les latinismes, à agrémenter la langue française de patois de toutes sortes – y compris, dans l'épisode de l'écolier limousin, p. 180, d'un jargon inventé de toutes pièces et proche du babélisme* –, à recourir à des étymologies délirantes, à citer des auteurs qui

À retenir

Le style : la singularité de l'œuvre de Rabelais se manifeste avant tout dans son style qui, en jouant incessamment avec la langue, permet de découvrir les possibilités et les richesses de celle-ci.

* *Cf.* Lexique.

n'existent pas. De tels procédés* brouillent inévitablement les codes de la communication et les situations d'énonciation* : en provoquant les pires malentendus, les équivoques les plus grotesques, ils jouent sur l'incompréhension réciproque des personnages (il en est ainsi de Thaumaste et de Panurge, de Gallet et de Picrochole, de maître Janotus et de Pantagruel, etc.).

La sonorité et le sens des mots deviennent à leur tour l'occasion d'un jeu : les contrepèteries*, les assonances*, les lapsus*, les jurons, l'accumulation des onomatopées*, les calembredaines (propos extravagant, plaisanterie burlesque) sont autant de jeux stylistiques qui, à partir des thèmes et des registres qu'ils parodient, présentent une panoplie de variations comiques.

Face aux discours pompeux et prétentieux des « hypocrites », qu'ils soient théologiens, sophistes ou orateurs, Rabelais s'efforce de redonner souffle à la langue dont il explore et ravive toutes les richesses et les subtilités. Pour Rabelais l'alchimiste « abstracteur de quintessence », la langue devient un métal précieux ; pour Rabelais le thérapeute, le chirurgien en quête de « substantifique moelle », la langue devient un organe vital. En ce sens, et pour reprendre le titre d'un ouvrage de Joachim du Bellay publié en 1549, le *Gargantua* et le *Pantagruel* offrent une véritable *défense et illustration de la langue française*.

Le Combat de Carême et de Carnaval, Pieter Brueghel (1525-1569) dit « Brueghel le Vieux » ou « Bruegel le Paysan ». Contemporain de Rabelais, Brueghel s'interesse ici aux scènes de rue, aux fêtes publiques. Dans ce tableau, deux cultures, deux traditions s'affrontent : la tradition catholique incarnée par le carême (période d'abstinence pendant laquelle l'Église recommande le jeûne et la prière) et la tradition populaire et païenne du carnaval.

* *Cf.* Lexique.

Femme nue vue de dos, dessin de Albrecht Dürer (1471-1528). Influencé par les intellectuels humanistes et les peintres italiens de la Renaissance, Dürer témoigne son intérêt pour la représentation de la perspective et le respect des proportions.

Rabelais, humaniste de la Renaissance

Qu'est-ce que l'humanisme ?

Le terme d'humanisme, forgé au XIXe siècle, qualifie aussi bien une période déterminée de l'histoire de la pensée occidentale (étroitement liée à l'époque que l'on a coutume d'appeler la Renaissance, cette période s'étendant approximativement de la dernière moitié du XVe siècle à la première moitié du XVIe siècle) que, plus généralement, un mouvement intellectuel, une philosophie faisant de l'être humain le sujet de ses interrogations (comme l'illustrent par exemple au XXe siècle des auteurs tels que Jean-Paul Sartre ou Albert Camus).

S'il est vrai qu'elle se caractérise avant tout par un retour aux lettres antiques grecques et latines, la période de la Renaissance est traversée par de profonds bouleversements qui se répercutent dans tous les domaines d'activité humaine. Du renouvellement de la culture et de la pédagogie au développement de la science et des techniques, des grandes découvertes aux révolutions qui affectent la représentation artistique, se profile une nouvelle conception de l'homme et du monde. L'humanisme s'inscrit dans un tel projet : en restituant les textes antiques, les humanistes se préoccupent de comprendre l'homme et de déterminer ce qui, pour lui, sera le plus grand facteur de progrès. L'humanisme témoigne donc d'un apparent paradoxe qui consiste à vouloir rénover la culture à partir d'un retour à l'Antiquité, à la faire progresser, à aller de l'avant en se tournant pourtant vers le passé.

À retenir

L'humanisme de la Renaissance se définit par la restitution de la culture antique et le désir de renouveler la culture.

Aux sources de l'humanisme

Les progrès de la science

Lorsque l'astronome polonais Copernic (1473-1543) fait l'hypothèse de l'héliocentrisme, il remet radicalement en question la conception qui, depuis le système géocentrique de Ptolémée (astronome grec du IIe siècle avant J.-C.), faisait autorité au Moyen Âge. En effet, soutenir que la Terre tourne autour du Soleil exige de ne plus considérer notre planète comme le centre de l'univers et, par là, de rompre avec la tradition religieuse selon laquelle Dieu aurait placé l'homme au centre du monde. Il faudra attendre le siècle suivant pour qu'un astronome, Galilée (1564-1642), prouve et parachève la justesse du système copernicien.

Toutefois, le progrès de la science ne se limite pas à la découverte du « *macrocosme* » comme l'appelle Rabelais. Le développement de la médecine et, grâce au savant Bernard Palissy (1510-1589), de la chimie, de l'agronomie et de la paléontologie, permet en effet de mieux comprendre le fonctionnement du corps humain et la composition de la matière. Ambroise Paré (1509-1590), père de la chirurgie moderne, proche de Rabelais et de Montaigne, invente à ce titre de multiples techniques opératoires. La médecine, comme l'illustre la visée thérapeutique que Rabelais donne à son œuvre, doit s'occuper de la santé du corps autant que de celle de l'âme et exiger que le savoir médical se double d'un savoir philosophique.

Les « grandes découvertes »

L'amélioration des techniques, des instruments et des moyens de navigation permet aux explorateurs en quête

---

À retenir

La « révolution scientifique » donnant une nouvelle vision du monde interviendra au XVIIe siècle avec Galilée. Néanmoins, les germes de cette nouvelle vision apparaissent, à travers les progrès scientifiques et les découvertes de « nouveaux mondes », dès le XVIe siècle.

de nouveaux territoires de parcourir le monde. Ainsi, de 1492 à 1502, les expéditions de Christophe Colomb conduiront à la découverte des Amériques. D'autres explorateurs (Vasco de Gama, Magellan et Jacques Cartier qui, en 1534, prend possession du territoire que l'on appellera ensuite le Canada) ouvrent, à travers leurs récits de voyage, le monde occidental à des horizons inconnus, à des cultures qui ne ressemblent en rien à la sienne.

Une révolution esthétique : le *Quattrocento*

Dans l'histoire de l'art, le terme de *Quattrocento* désigne le XVe siècle italien. Cette période se caractérise tout d'abord par son intention de mêler et d'harmoniser deux cultures, deux traditions et, surtout, deux représentations différentes du monde : la culture antique grecque et le christianisme. Une telle rencontre se retrouve dans les peintures et les sculptures de Michel-Ange (1475-1564) qui, à partir d'un thème biblique (jugement dernier, création d'Adam, etc.), exalte, à la façon de la statuaire grecque, la perfection des corps.

La révolution esthétique qu'opère le *Quattrocento* s'illustre aussi par l'utilisation de la perspective géométrique qui permet d'organiser l'espace pictural en fonction du regard du peintre et du spectateur. Ainsi, face à un tableau de Léonard de Vinci (1452-1519), le spectateur aura l'impression d'une représentation exacte du monde réel : les personnages situés au premier plan apparaîtront plus grands et volumineux que ceux situés dans l'arrière-plan du tableau. Le réalisme des couleurs, l'illusion du mouvement, la régularité du contour, la précision du dessin, la prise en compte des lois de la perception autant que celles de l'anatomie humaine, semblent faire de l'homme la mesure de toutes choses. Au XVIe siècle, François Ier, à la

À retenir

La période de la Renaissance voit le jour en Italie grâce à la révolution esthétique inaugurée par des artistes tels que Léonard de Vinci.

suite de ses campagnes en Italie, aura de multiples occasions de prouver son admiration envers le *Quattrocento*.

De l'étude des belles-lettres à une philosophie de l'homme

La prise de Constantinople par les Turcs en 1453 constitue un facteur déterminant de l'éclosion de l'humanisme car elle obligea les savants grecs à s'exiler en Europe. Ces derniers, grâce à l'essor considérable de l'imprimerie, mettront progressivement à l'honneur la culture de la Grèce antique.

Or, dans son étymologie même, l'humanisme fait référence aux valeurs de l'Antiquité : le terme *humanitas* désigne la culture. L'humaniste désigne dès lors celui qui pratique les *studia humanitatis* (ou, comme les appelle Rabelais, les *bonae litterae*, les «belles-lettres»), autrement dit l'étude des auteurs grecs et latins. À ce titre et jusqu'à une période récente, l'expression «faire ses humanités» signifiait, pour un élève, le fait d'apprendre les textes importants de la littérature grecque et romaine.

À retenir

L'humanisme naît de la redécouverte de la culture antique grecque à la fin du XVe siècle.

La pédagogie : l'art de devenir un homme

Comme le soutient Érasme, on ne naît pas homme mais on le devient. Or, pour former un tel homme, les humanistes ont vite compris la nécessité d'établir de nouvelles méthodes pédagogiques : l'enfant, de l'être de nature qu'il est à l'être de culture qu'il devient, doit suivre, de façon continue et progressive, un plan d'études comme celui que Ponocratès donne à Gargantua ou comme celui que propose Érasme dans son *Plan des études* publié en

1512. Créature perfectible, capable de progrès, l'être humain doit, selon les humanistes, développer en priorité ses qualités intellectuelles autant que morales car, nous prévient Rabelais, « *science sans conscience n'est que ruine de l'âme* ». De cette façon seulement, chacun conquiert sa dignité d'homme. L'ouvrage de Pic de la Mirandole (1463-1494), intitulé *De la dignité humaine* (1486), sert ici de point de référence aux humanistes : l'auteur y reconnaît que, à la différence des autres créatures dont la nature, fixée par avance, les prive à jamais du moindre progrès, l'homme seul, du fait de sa liberté, a la possibilité et la capacité de déterminer sa propre place et sa propre nature, de devenir ce qu'il veut être.

Les humanistes face aux institutions

Quelle que soit l'institution visée, l'Église romaine, la Sorbonne ou le pouvoir politique, les humanistes adoptent une attitude réformatrice dès lors que le bonheur de l'homme, c'est-à-dire ici l'accomplissement de ses qualités intellectuelles et morales, est menacé. Contre les méthodes éducatives pratiquées par les théologiens ou, comme les nomme Rabelais, les sophistes de la Sorbonne qui assomment leurs élèves de discours aussi subtils que vains, les humanistes favoriseront la création du Collège de France. Contre le formalisme des cérémonies religieuses et les dérives de l'Église romaine, les humanistes participeront au développement de l'évangélisme au nom d'un retour aux textes sacrés. Contre les politiques de guerre et d'asservissement menées par les tyrans, les humanistes feront l'apologie* de la paix et de la liberté. On le voit, les humanistes ont davantage le profil du réformateur que celui du révolutionnaire. Cet esprit réformateur, cette critique des « hypocrites » traversent de part

À retenir

La pédagogie : selon les humanistes, la culture ne peut changer et être réformée que si l'homme lui-même évolue ; et l'homme ne saurait évoluer que par l'éducation.

* *Cf.* Lexique.

en part, sous forme parodique ou satirique, l'œuvre de Rabelais. S'agissant de l'organisation sociale, la réflexion des humanistes s'attache à concevoir ce que serait une société idéale, que celle-ci s'appelle Thélème ou Utopie. Toutefois, là aussi, l'amélioration des conditions de vie sociale dépend de la volonté et la détermination qu'a l'être humain de s'accomplir et de s'épanouir.

Ainsi, la façon dont les humanistes pensent la religion, la politique, la société, la connaissance, est tributaire d'une philosophie de l'éducation qui, compte tenu de ses enjeux et du rôle fondamental qu'ils lui reconnaissent, pourrait tout aussi bien s'appeler une philosophie de l'homme.

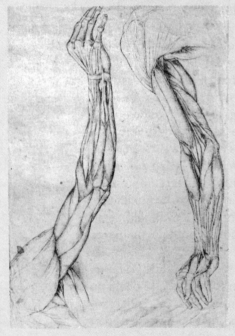

Étude de bras, dessin de Léonard de Vinci (1452-1519). Pour représenter le plus fidèlement possible le corps humain, Léonard de Vinci étudie son anatomie.
La beauté artistique émane selon lui d'une rencontre entre l'art et la science.

Lexique d'analyse littéraire

Absurde Procédé comique qui révèle, le plus souvent dans le quotidien, le caractère étrange de faits ou de personnages. En posant, entre deux événements, des liens logiques lorsqu'ils font précisément défaut, il joue sur le décalage entre les événements et leur interprétation.

Allégation de vérité Justification de la vérité d'un discours à partir de l'autorité reconnue d'un texte, d'une personne ou d'une divinité.

Anagramme Mot obtenu en changeant l'ordre des lettres d'un autre mot.

Apologie Discours qui prend la défense d'une personne ou d'une idée.

Assonance Dans une phrase ou bien dans un vers, répétition d'une même voyelle. Le fait de répéter une même consonne se nomme **allitération**.

Babélisme Caractère d'un discours, d'un style formé de mots appartenant à des langues diverses. Ce terme fait référence à l'épisode biblique de la tour de Babel que les descendants de Noé tentèrent d'élever jusqu'au ciel. Pour les punir de cette audace, Dieu détruisit la tour et divisa les langues pour que les hommes ne puissent plus se comprendre entre eux. Un tel procédé sera repris, au xxe siècle, par l'écrivain James Joyce.

Caricature – Caricatural Procédé comique qui consiste à déformer et grossir certains traits d'une personne, d'une situation, en vue de faire rire ou de se moquer.

Champ (ou réseau) lexical Ensemble de mots relevant d'un même domaine de signification.

Chanson de geste Ensemble des poèmes épiques du Moyen Âge relatant les exploits d'un même héros.

Comique Se dit d'une tonalité littéraire dont le but est de faire rire. Ses registres et ses procédés sont multiples : l'ironie*, la parodie, l'absurde*, le **comique verbal** qui consiste à jouer sur les mots ou les registres de langue*, le **comique de situation** (personnages cachés, masqués...), le **comique de gestes** (grimaces, mimiques...) ou encore le **comique de caractère** (héros ridiculisés, portraits caricaturaux...).

Comparaison Figure de style mettant en rapport deux termes ayant une caractéristique commune et soulignant, à l'aide d'un outil grammatical de comparaison (« comme », « de même que »...), leur ressemblance.

Conte philosophique Récit imaginaire qui invite les lecteurs à porter sur le monde un regard critique. À la différence du conte merveilleux, son but est moins de divertir que d'instruire.

Contrepèterie Interversion des lettres ou des syllabes d'un ensemble de mots pour en obtenir d'autres qui aient un sens le plus souvent burlesque. Rabelais invente la contrepèterie suivante : « femme folle à la messe » et « femme molle à la fesse ».

Délibératif Genre littéraire issu de l'Antiquité qui consiste à exposer le pour et le contre dans la recherche d'une décision.

Dialectique Au sens large, art d'argumenter. Dans un sens plus étroit, démarche argumentative composée d'une thèse, d'une antithèse et d'une synthèse.

Didactique Se dit d'une tonalité littéraire et caractérise le discours d'un maître, d'un précepteur qui, dans l'intention d'instruire, a recours à des tournures d'ordre et de conseil.

Discours Il existe différentes façons de rapporter les paroles des personnages, dans un texte littéraire. Le **discours direct** consiste à rapporter les paroles d'un personnage en les retranscrivant telles qu'elles ont été dites, comme le signale la présence de tirets et de guillemets. Le **discours indirect** consiste à rapporter un discours sous forme de proposition subordonnée introduite par un verbe déclaratif. Le **discours indirect libre** consiste à rapporter des paroles, mais sans les signaler comme des éléments du discours, rendant difficile l'identification de l'énonciateur. Le **discours entièrement narrativisé** consiste à intégrer, en les résumant, les propos d'un personnage au sein du récit.

Édition princeps Première édition, original d'une œuvre rare et ancienne.

Élégie Poème de tonalité lyrique, tendre, triste ou mélancolique et d'inspiration souvent amoureuse.

Énonciation Désigne tout acte par lequel un individu utilise la langue. La situation d'énonciation met en jeu un émetteur, un destinataire ou récepteur, le lieu et le moment où s'est produite l'énonciation.

Épique voir **Épopée**.

Éponyme Se dit en littérature d'un personnage dont le nom est donné au titre d'une œuvre.

Épopée Genre littéraire issu de l'Antiquité, glorifiant les exploits guerriers d'un personnage extraordinaire, héros ou dieux, en mêlant histoire et mythologie. L'**épique** se dit d'une tonalité littéraire reprenant les caractéristiques des grandes épopées telles que l'*Iliade* et l'*Odyssée* d'Homère ou *La Chanson de Roland*.

Éthnocentrisme Tendance à faire de la société à laquelle on appartient le seul modèle de référence.

Farce Au Moyen Âge, petite pièce de théâtre comique.

Hyperbole Figure de style consistant à exagérer une réalité.

Implicite Qui n'est pas dit expressément mais qui est sous-entendu.

Ironie Procédé consistant à faire entendre autre chose, parfois même le contraire comme c'est le cas dans l'antiphrase, que ce que l'on dit, et donc à mettre à distance, voire à condamner et à ridiculiser les propos que l'on tient. L'**ironique** désigne une tonalité littéraire consistant à inviter le lecteur à se moquer d'une personne ou d'un personnage.

Lapsus Emploi d'un mot pour un autre.

Laudatif Qui fait un éloge ou qui contient des propos élogieux.

Locuteur Être fictif qui, s'adressant à des destinataires, a la responsabilité de l'énonciation. Dans un roman, le locuteur principal est le narrateur.

Lumières Mouvement philosophique du XVIIIe siècle caractérisé par sa volonté, au nom de la raison et de la liberté, de dénoncer les préjugés de la tradition et l'intolérance des autorités (Église, monarchie...).

Lyrique Se dit d'une tonalité littéraire dans laquelle le narrateur exprime de façon poétique ses sentiments intimes, livre ses états d'âme.

Mélioratif Par opposition à «péjoratif», se dit d'un terme qui présente un être, une situation, de façon avantageuse.

Métaphore Figure de style mettant en rapport deux termes ayant une caractéristique commune mais sans la rendre explicite.

Néologisme Mot nouveau ou sens nouveau donné à un mot.

Onomatopée Mot imitant un bruit naturel (ex. cocorico, atchoum) ou artificiel (ex. pin-pon, tic-tac).

Oratoire Qui appartient ou convient à l'art de parler en s'adressant à un public.

Paradoxale – Paradoxe Opinion exprimée de façon contraire à ce que pense l'opinion commune.

Pastiche Imitation d'une œuvre artistique, d'un style ou d'un auteur, qui vise moins à faire rire, comme la parodie, qu'à démontrer la virtuosité de celui qui l'effectue.

Pathétique Se dit d'une tonalité littéraire qui cherche à provoquer chez le lecteur un sentiment de compassion.

Péripétie Événement imprévu, coup de théâtre, qui produit un renversement de situation.

Point de vue En littérature, angle, position par lesquels un auteur, un narrateur ou un personnage se rapportent à un récit. Dans le cas du narrateur, on parle également de «focalisation».

Précieux – Préciosité Au XVIIe siècle, attitude sociale et esthétique dont le goût et le langage sont affectés, maniérés, au point d'en être, selon Molière, ridicules.

Procédé S'applique à un fait grammatical ou stylistique qui dans un texte met en œuvre l'intention de l'auteur.

Registre de langue On distingue trois registres ou niveaux de langue: le registre courant, le registre familier ou vulgaire, et le registre soutenu.

Repentir Au sens propre, le repentir désigne un sentiment de regret; par extension, il qualifie les changements apportés, les corrections faites à un tableau, à un texte, au cours de son élaboration et non pas après-coup.

Rhétorique Ensemble des règles relatives à l'art de la parole et du style. Ces règles servent à un discours de technique d'argumentation destinée à convaincre.

Satire – Satirique Écrit littéraire critiquant de façon cruelle et parfois agressive les vices et les défauts d'une époque, d'une institution ou d'une personne. Le satirique désigne une tonalité littéraire qui se moque et ridiculise sa cible à des fins critiques.

Schéma narratif Schéma retraçant les étapes et la progression du récit. Il se compose d'une situation initiale, d'un événement perturbateur qui déclenche l'histoire, de péripéties, d'éléments de résolution qui mettent fin à l'action et une situation finale.

Scolastique Enseignement philosophique pratiqué dans les écoles ecclésiastiques et les universités d'Europe à partir du Xe siècle et dont, au XVIe siècle, la faculté de théologie de la Sorbonne se fait l'héritière.

Sens littéral Sens propre d'un mot. Appliqué à un texte, le sens littéral est celui qui suit un texte à la lettre.

Sophistique Au sens étroit, elle désigne l'art des sophistes grecs. Au sens large, elle qualifie péjorativement un raisonnement proche du sophisme, c'est-à-dire forgé sur des arguments faux qui se donnent malgré tout une apparence de vérité.

Texte canonique Dans la théologie chrétienne, les textes canoniques définissent l'ensemble des livres conformes au canon, autrement dit à la règle, et tenus pour inspirés par Dieu.

Texte d'idées Texte à visée argumentative mais qui, à cette fin, peut avoir recours à tous les genres, tels le conte philosophique chez Voltaire, la fable chez La Fontaine ou l'essai chez Montaigne.

Type de phrases Il en existe quatre : déclarative, interrogative, impérative et exclamative.

Bibliographie

Pour connaître les influences médiévales de Rabelais

Épopée
– *La Chanson de Roland*, coll. «Lettres gothiques», Livre de Poche, 1990.

Romans de chevalerie
– Chrétien de Troyes, *Lancelot, le chevalier à la charrette*, coll. «Lettres Gothiques», Livre de Poche, 1992.
– Chrétien de Troyes, *Yvain, le chevalier au lion*, coll. «Lettres gothiques», Livre de Poche, 1992.

Farces
– Anonyme, *La Farce de maître Pathelin*, coll. «Classiques», Bordas, 1984.

Quelques écrivains humanistes

– Érasme, *Éloge de la folie*, coll. «Bouquins», Robert Laffont, 1992.
– É. La Boétie, *Discours de la servitude volontaire*, Garnier-Flammarion, 1983.
– Machiavel, *Le Prince*, Garnier-Flammarion, 1980.
– Clément Marot, *Œuvres poétiques*, Garnier-Flammarion, 1973.
– Montaigne, *Essais*, coll. «Classiques», Hachette, 1994.
– Thomas More, *Utopie*, Garnier-Flammarion, 1987.

Pour mieux comprendre l'œuvre de Rabelais

– M. Bachtine, *L'Œuvre de François Rabelais et la culture populaire au Moyen Âge et sous la Renaissance*, coll. «Tel», Gallimard, 1970.
– G. Demerson, *Rabelais*, Fayard, 1991.
– M. de Diegez, *Rabelais par lui-même*, Seuil, 1960.
– M. Lazard, *Rabelais l'humaniste*, Hachette, 1993.
– D. Ménager, *Rabelais*, coll. «En toutes lettres», Bordas, 1989.
– M. Screech, *Rabelais*, coll. «Bibliothèque des idées», Gallimard, 1992.

Pour mieux comprendre la Renaissance et l'humanisme

– A. Koyré, *Du monde clos à l'univers infini*, coll. «Tel», Gallimard, 1973 : pour comprendre comment, au XVIe siècle, s'amorce la révolution scientifique du XVIIe siècle.
– J. C. Margolin, *L'Humanisme en Europe au temps de la Renaissance*, coll. «Que sais-je?», PUF, 1981.
– E. Panofsky, *Idea*, coll. «Tel», Gallimard, 1983, chapitre III : pour comprendre la «renaissance» de l'art.

Pour lire des histoires de géants

– Jonathan Swift, *Les Voyages de Gulliver*, Hachette Jeunesse, 1996.
– Voltaire, *Micromégas et autres contes*, coll. «Bibliocollège», Hachette Éducation, 1999.